NORWEGIAN STORIES

FOR BEGINNERS

DIVE INTO NORWEGIAN CULTURE, EXPAND YOUR VOCABULARY, AND MASTER BASICS THE FUN WAY!

BY ADRIAN GEE

ISBN: 979-8-884870-33-8

Author's Note

Welcome to "69 Short Norwegian Stories for Beginners"! It's my absolute pleasure to guide you through the fascinating journey of learning Norwegian, a language steeped in history and rich in cultural nuance. This collection of stories is designed to open doors to an engaging and effective way of expanding your vocabulary, mastering basic grammatical structures, and developing a true love for the Norwegian language.

My passion for languages and education has led me to create this unique compilation, aiming to make Norwegian language learning accessible, enjoyable, and deeply rewarding for beginners. Each story is carefully crafted to not only provide linguistic insights but also to spark your imagination and curiosity, making language learning an adventure rather than a chore.

Connect with Me: Join our language learning community on Instagram: @adriangruszka. Share your Norwegian learning journey, and let's celebrate your progress together!

Sharing is Caring: If you find joy and progress in your Norwegian with this book, please share it and tag me on social media. Your feedback is invaluable, and I look forward to seeing how these stories enhance your learning.

Diving into "69 Short Norwegian Stories for Beginners" is more than learning a language; it's about discovering new perspectives and the beauty of Norwegian culture. Embrace the adventure and enjoy every step towards fluency. Lykke til! (Good luck!)

- *Adrian Gee*

CONTENTS

INTRODUCTION

Welcome

Welcome to "69 Short Norwegian Stories for Beginners," your gateway to learning Norwegian through engaging and carefully crafted stories. Whether you're a complete beginner or someone looking to refresh their skills, this book offers a unique approach to mastering the basics of the Norwegian language. Let's embark on this linguistic adventure together!

What the Book is About

This book is designed with the beginner in mind, providing a diverse collection of 69 short stories that span various genres and themes. Each story is constructed to introduce you to basic Norwegian vocabulary, grammar structures, and cultural nuances in an enjoyable and digestible format. Unlike traditional textbooks, these stories are intended to captivate your interest and stimulate your learning process, making Norwegian more accessible and fun to learn.

How the Book is Laid Out

Each story is followed by a glossary of key terms used in the tale, helping you expand your vocabulary. Following the glossary, comprehension questions and a summary in Norwegian challenge you to use your new skills and ensure you've understood what you've read. This format is designed to reinforce the material, improve your reading comprehension, and encourage active learning.

Recommendations and Tips on How to Get the Most Out of the Book

1. **Read Regularly:** Consistency is key when learning a new language. Try to read at least one story per day to maintain progress and build your confidence in understanding Norwegian.

2. **Use the Glossary:** Refer to the glossary often to familiarize yourself with new words and phrases. Try to use them in your daily practice to enhance retention.

3. **Engage with the Comprehension Questions:** Answer the questions at the end of each story to test your understanding. This reinforces learning and boosts your ability to use Norwegian in context.

4. **Practice Out Loud:** Reading aloud helps with pronunciation and fluency. Read the stories or summaries aloud to get comfortable speaking Norwegian.

5. **Immerse Yourself:** Beyond this book, try to immerse yourself in the Norwegian language through music, movies, and conversation with native speakers. This real-world exposure complements your learning and deepens your cultural understanding.

- Chapter One -

THE LOST KEY

THE
LOST
KEY

Den Tapte Nøkkelen

En solfylt morgen kan ikke Anna finne nøkkelen sin. Hun trenger nøkkelen for å åpne husdøren sin. Anna begynner å søke overalt.

Først ser hun i lommen sin. "Er nøkkelen min i lommen?" tenker hun. Men lommen er tom.

Deretter husker Anna at hun kanskje har latt nøkkelen være inne i huset. Hun går til vinduet for å se inn. Men hun kan ikke se nøkkelen.

Neste bestemmer Anna seg for å søke under dørmatte. Mange mennesker gjemmer en reserve nøkkel der. Hun løfter dørmatte, men nøkkelen er ikke der.

Anna begynner å føle seg trist. Hun trenger hjelp. Hun ringer vennen sin, Tom. "Tom, jeg har mistet nøkkelen min. Kan du hjelpe meg å lete?" spør hun.

Tom kommer raskt. Sammen ser de bak blomsterpotten foran huset. Og der, finner de nøkkelen!

"Takk, Tom! Du hjalp meg med å finne nøkkelen min," sier Anna lykkelig. Nå kan hun åpne døren og gå inn i huset sitt.

Vocabulary

Key	*Nøkkel*
Find	*Finne*
Door	*Dør*
Lost	*Mistet*
Search	*Søke*
House	*Hus*
Open	*Åpne*
Pocket	*Lomme*
Remember	*Huske*
Floor	*Gulv*
Under	*Under*
Behind	*Bak*
Front	*Foran*
Inside	*Inne*
Help	*Hjelpe*

Questions About the Story

1. ***What does Anna need to open?***

    a) Her car
    b) Her house door
    c) A window

2. ***Where does Anna first look for her key?***

    a) Under the doormat
    b) In her pocket
    c) Behind the flowerpot

3. ***What is Anna's reaction when her pocket is empty?***

    a) She is happy
    b) She is relieved
    c) She is sad

4. ***Who does Anna call for help?***

    a) Her neighbor
    b) A locksmith
    c) Her friend, Tom

5. ***Where was the key finally found?***

    a) Inside the house
    b) Under the doormat
    c) Behind the flowerpot

Correct Answers:

1. b) Her house door
2. b) In her pocket
3. c) She is sad
4. c) Her friend, Tom
5. c) Behind the flowerpot

- Chapter Two -

A DAY AT THE PARK

En Dag i Parken

Lucy og vennen hennes, Max, bestemmer seg for å tilbringe en dag i parken. Parken er full av høye trær, og himmelen er klar og blå. De tar med seg en ball for å leke med, og en piknik for å nyte under de grønne trærne.

Når de går til deres favorittplass, ser de fugler som flyr over og blomster i mange farger. Solen skinner lyst, noe som gjør dagen perfekt for en piknik.

De legger et teppe på gresset nær en benk og sprer ut pikniken. Etter å ha spist, sier Lucy, "La oss leke med ballen!" De løper rundt, kaster og fanger ballen, og ler hele tiden.

Etter å ha lekt, sitter de på benken, ser på himmelen og hviler. "Jeg elsker dager som denne," sier Max med et smil. Lucy nikker, "Jeg også, det er så fredelig her."

Når solen begynner å gå ned, pakker de sammen og går hjem, glade etter en fantastisk dag i parken.

Vocabulary

Park	*Park*
Tree	*Tre*
Play	*Leke*
Ball	*Ball*
Run	*Løpe*
Friend	*Venn*
Laugh	*Le*
Bench	*Benk*
Bird	*Fugl*
Sky	*Himmel*
Green	*Grønn*
Flower	*Blomst*
Sun	*Sol*
Picnic	*Piknik*
Walk	*Gå*

Questions About the Story

1. ***Who did Lucy go to the park with?***

    a) Her dog
    b) Her brother
    c) Her friend, Max

2. ***What did Lucy and Max bring to the park?***

    a) A kite
    b) A ball and a picnic
    c) Bicycles

3. ***What color was the sky when Lucy and Max went to the park?***

    a) Grey and cloudy
    b) Clear and blue
    c) Rainy and dark

4. ***What did they see as they walked to their favorite spot?***

    a) Cats running around
    b) Ducks swimming in a pond
    c) Birds flying above and flowers of many colors

5. ***What did they do after eating their picnic?***

    a) They went for a swim
    b) They took a nap
    c) They played with the ball

Correct Answers:

1. c) Her friend, Max
2. b) A ball and a picnic
3. b) Clear and blue
4. c) Birds flying above and flowers of many colors
5. c) They played with the ball

- Chapter Three -
BIRTHDAY SURPRISE

Bursdagsoverraskelse

I dag er det bursdagen til Mia, og vennene hennes har planlagt en overraskelsesfest for henne. De har en kake, ballonger og dekorasjoner klare. Mia har ingen anelse om festen.

Når Mia går inn i rommet, hopper alle ut og roper, "Overraskelse!" Mia er sjokkert, men veldig glad. Hun ser kaken med lys og smiler.

Vennene hennes synger "Gratulerer med dagen," og Mia blåser ut lysene, og ønsker seg noe. Deretter gir de henne gaver og kort, og uttrykker sin kjærlighet og ønsker for henne.

Rommet fylles med latter og glede mens de feirer. Mia takker alle, "Dette er den beste bursdagsoverraskelsen noensinne!"

De tilbringer kvelden med å spise kake, spille spill og nyte festen. Mia føler seg takknemlig for å ha så fantastiske venner.

Vocabulary

Birthday	*Bursdag*
Cake	*Kake*
Party	*Fest*
Gift	*Gave*
Surprise	*Overraskelse*
Balloon	*Ballong*
Invite	*Invitere*
Happy	*Glad*
Candle	*Lys*
Sing	*Synge*
Friend	*Venn*
Card	*Kort*
Wish	*Ønske*
Celebrate	*Feire*
Decoration	*Dekorasjon*

Questions About the Story

1. ***What occasion is being celebrated in the story?***

    a) A wedding
    b) An anniversary
    c) A birthday

2. ***What do Mia's friends have ready for her?***

    a) A movie
    b) A concert ticket
    c) A cake, balloons, and decorations

3. ***How does Mia react when her friends surprise her?***

    a) She is confused
    b) She is unhappy
    c) She is shocked but happy

4. ***What do Mia's friends do after yelling "Surprise!"?***

    a) They leave the room
    b) They sing "Happy Birthday"
    c) They start dancing

5. ***What does Mia do after her friends sing to her?***

    a) She leaves the party
    b) She cuts the cake
    c) She blows out the candles

Correct Answers:

1. c) A birthday
2. c) A cake, balloons, and decorations
3. c) She is shocked but happy
4. b) They sing "Happy Birthday"
5. c) She blows out the candles

- Chapter Four -

THE NEW NEIGHBOR

MAPLE

Den Nye Naboen

Emily har nettopp flyttet inn i en ny leilighet på Lønnetreet. Hun er nervøs, men spent på å møte naboene sine.

Mens hun laster ut bokser fra lastebilen sin, legger hun merke til noen som nærmer seg. Det er naboen ved siden av, Alex, som kommer for å ønske henne velkommen med et varmt smil.

"Hei! Jeg er Alex. Jeg bor ved siden av. Hvis du trenger hjelp, bare si ifra," sier Alex, og tilbyr en hånd.

Emily er takknemlig og svarer, "Takk, Alex! Jeg kan trenge litt hjelp senere." De prater litt, og Alex tilbyr å introdusere Emily for de andre naboene.

Senere på dagen kommer Alex tilbake og hjelper Emily med boksene hennes. Deretter tar de en tur rundt i gaten, møter andre vennlige naboer som hilser varmt på Emily.

Med en følelse av å bli ønsket velkommen og lykkelig, er Emily glad for å ha flyttet til Lønnetreet og ser frem til å lage nye venner.

Vocabulary

Neighbor	*Nabo*
Move	*Flytte*
Welcome	*Velkommen*
Apartment	*Leilighet*
Box	*Boks*
New	*Ny*
Meet	*Møte*
Help	*Hjelp*
Introduce	*Introdusere*
Friendly	*Vennlig*
Street	*Gate*
Next	*Neste*
Doorbell	*Dørklokke*
Smile	*Smile*
Greet	*Hilse*

Questions About the Story

1. ***How does Emily feel about meeting her new neighbors?***

    a) Indifferent
    b) Nervous but excited
    c) Scared

2. ***Who approaches Emily as she is unloading her truck?***

    a) A delivery person
    b) A distant relative
    c) Her next-door neighbor, Alex

3. ***What does Alex offer Emily?***

    a) A welcome gift
    b) To call for more help
    c) Help with her boxes

4. ***What does Alex do later that day?***

    a) Invites Emily for dinner
    b) Comes back and helps with boxes
    c) Takes Emily to a party

5. ***During their walk, what do Emily and Alex do?***

    a) Meet other friendly neighbors
    b) Go shopping
    c) Visit the local library

Correct Answers:

1. b) Nervous but excited
2. c) Her next-door neighbor, Alex
3. c) Help with her boxes
4. b) Comes back and helps with boxes
5. a) Meet other friendly neighbors

- Chapter Five -
LOST IN THE CITY

Fortapt i Byen

En dag fant Emma seg selv fortapt i den store byen. Hun hadde et kart, men gatene forvirret henne. "Hvor er jeg?" undret hun, mens hun så på kartet.

Først prøvde hun å spørre om veibeskrivelse. Hun nærmet seg en vennlig utseende person og spurte, "Unnskyld, kan du hjelpe meg med å finne Hovedgata?" Personen pekte henne mot hjørnet.

Emma gikk til hjørnet, men trafikklysene og de travle fortauene fikk henne til å nøle. Hun måtte krysse gaten, men var ikke sikker på når.

Hun fant en plass med et stort skilt som leste "Sentralstasjonen." "Det er der jeg må returnere for å ta toget mitt," husket Emma.

Til slutt, etter å ha spurt noen flere personer og fulgt deres veibeskrivelser, fant Emma veien tilbake til stasjonen. Hun var lettet og glad for å ha funnet veien. Fra nå av lovte hun å være mer oppmerksom på skiltene og lære mer om å navigere i byen.

Vocabulary

City	*By*
Map	*Kart*
Street	*Gate*
Lost	*Fortapt*
Ask	*Spørre*
Direction	*Veibeskrivelse*
Corner	*Hjørne*
Traffic light	*Trafikklys*
Cross	*Krysse*
Busy	*Travel*
Find	*Finne*
Square	*Plass*
Sign	*Skilt*
Return	*Returnere*
Station	*Stasjon*

Questions About the Story

1. ***What did Emma have to help her find her way in the city?***

    a) A compass
    b) A map
    c) A guidebook

2. ***Who did Emma first ask for directions?***

    a) A police officer
    b) A shopkeeper
    c) A friendly-looking person

3. ***What made Emma hesitate while trying to navigate the city?***

    a) Rain
    b) The traffic lights and busy sidewalks
    c) Getting a phone call

4. ***Where did Emma need to return to catch her train?***

    a) Main Street
    b) The airport
    c) Central Station

5. ***How did Emma finally find her way back?***

    a) By using a GPS
    b) By following the signs
    c) By asking more people for directions

Correct Answers:

1. b) A map
2. c) A friendly-looking person
3. b) The traffic lights and busy sidewalks
4. c) Central Station
5. c) By asking more people for directions

- Chapter Six -
A PICNIC BY THE LAKE

En Piknik ved Sjøen

Lucas og Mia bestemte seg for å ha en piknik ved sjøen på en solrik dag. De pakket en kurv med sandwicher, frukt og drikke. De tok også med seg et stort teppe å sitte på og noen spill å spille.

Da de ankom sjøen, bredte de teppet ut på gresset under et stort tre. Sjøen så vakker ut under solen, og fugler fløy over hodene deres.

Etter å ha spist sandwichene og nytt frukten, sa Lucas, "La oss leke med ballen!" De tilbrakte litt tid med å spille og bestemte seg deretter for å svømme i sjøen.

Vannet var forfriskende, og de hadde det gøy med å svømme og plaske rundt. Etter svømmeturen lå de på teppet for å slappe av og se på himmelen.

"Det er så fredelig her," sa Mia, mens hun lyttet til fuglene og følte den milde solen. De ble værende til solen begynte å gå ned, og nøt sin perfekte dag ved sjøen.

Vocabulary

Lake	*Sjø*
Picnic	*Piknik*
Basket	*Kurv*
Blanket	*Teppe*
Sandwich	*Sandwich*
Fruit	*Frukt*
Drink	*Drikke*
Friend	*Venn*
Sun	*Sol*
Play	*Leke*
Swim	*Svømme*
Tree	*Tre*
Grass	*Gress*
Relax	*Slappe av*
Bird	*Fugl*

Questions About the Story

1. ***What did Lucas and Mia decide to do on a sunny day?***

    a) Go for a swim
    b) Have a picnic by the lake
    c) Play soccer

2. ***What did they pack in their picnic basket?***

    a) Sandwiches, fruits, and drinks
    b) Pizza
    c) Burgers and fries

3. ***Where did they spread the blanket for the picnic?***

    a) On the beach
    b) In a clearing
    c) Under a big tree

4. ***What activity did Lucas suggest after eating?***

    a) Going home
    b) Swimming in the lake
    c) Playing with the ball

5. ***How did they find the water when they went swimming?***

    a) Cold
    b) Too hot
    c) Refreshing

Correct Answers:

1. b) Have a picnic by the lake
2. a) Sandwiches, fruits, and drinks
3. c) Under a big tree
4. c) Playing with the ball
5. c) Refreshing

- Chapter Seven -
THE SCHOOL PROJECT

RECYCLING
THE SCHOOL PROJECT
RECYCLING

Skoleprosjektet

I Mr. Smiths klasse ble elevene tildelt et skoleprosjekt. De måtte jobbe i team for å forske på et tema og deretter presentere det for klassen.

Anna, Ben, Charlie og Dana dannet et team. De bestemte seg for å forske på viktigheten av resirkulering. De samlet informasjon, laget en rapport og jobbet med en presentasjon.

På presentasjonsdagen var de nervøse, men klare. Anna startet med å forklare forskningsprosessen. Ben diskuterte fordelene med resirkulering, og Charlie viste frem noen statistikker. Dana avsluttet med ideer om hvordan man kan resirkulere mer hjemme og på skolen.

Læreren og klassen ble imponert. De lærte mye og diskuterte hvordan de kunne bidra til resirkuleringsinnsatsen. Teamet følte seg stolte av arbeidet sitt og glade for å ha fullført prosjektet sitt suksessfullt.

Vocabulary

Project	*Prosjekt*
School	*Skole*
Team	*Team*
Research	*Forske*
Present	*Presentere*
Teacher	*Lærer*
Class	*Klasse*
Learn	*Lære*
Work	*Arbeid*
Discuss	*Diskutere*
Idea	*Ide*
Report	*Rapport*
Create	*Lage*
Group	*Gruppe*
Finish	*Fullføre*

Questions About the Story

1. ***What was the topic of the school project?***

    a) Global warming
    b) The importance of recycling
    c) Space exploration

2. ***Who were the members of the team?***

    a) Anna, Ben, Charlie, and Dana
    b) Emily, Fred, George, and Hannah
    c) Isaac, Julia, Kyle, and Laura

3. ***What did Ben discuss in the presentation?***

    a) The benefits of recycling
    b) How to plant a garden
    c) The process of photosynthesis

4. ***What did the team create for their project?***

    a) A short film
    b) A magazine article
    c) A report and a presentation

5. ***How did the team feel about their project?***

    a) Disappointed
    b) Confused
    c) Proud and happy

Correct Answers:

1. b) The importance of recycling
2. a) Anna, Ben, Charlie, and Dana
3. a) The benefits of recycling
4. c) A report and a presentation
5. c) Proud and happy

- Chapter Eight -

A WINTER'S TALE

Et Vintereventyr

En kald vinterdag bestemte Lily og Sam seg for å nyte snøen. De tok på seg jakker, skjerf og hansker for å holde seg varme. Ute var bakken dekket av snø og vinden blåste forsiktig.

"La oss lage en snømann," foreslo Lily. Sammen rullet de store snøballer for snømannens kropp og fant steiner til øyne og munn. De lo mens de plasserte en gulrot for nesen.

Etter å ha bygget snømannen, følte de seg veldig kalde. "Jeg trenger noe for å varme meg," sa Sam. Så gikk de inn og laget varm sjokolade. Den varme drikken og den koselige peisen fikk dem til å føle seg bedre.

Senere bestemte de seg for å prøve å stå på ski. De skled forsiktig ned en liten bakke, og kjente den kalde vinden mens de gikk. Å stå på ski var gøy, men fikk dem til å fryse igjen.

Ved slutten av dagen satt de ved peisen, følte varmen. "Dette var den beste vinterdagen," sa Sam, og Lily var enig. De nøt vinterens skjønnhet fra varmen i hjemmet sitt.

Vocabulary

Winter	*Vinter*
Snow	*Snø*
Cold	*Kald*
Coat	*Jakke*
Ice	*Is*
Hot chocolate	*Varm sjokolade*
Scarf	*Skjerf*
Ski	*Stå på ski*
Snowman	*Snømann*
Freeze	*Fryse*
Glove	*Hansker*
Wind	*Vind*
Slide	*Skli*
Warm	*Varm*
Fireplace	*Peis*

Questions About the Story

1. ***What did Lily and Sam decide to do on a cold winter day?***

    a) Build a snowman
    b) Go skiing
    c) Make hot chocolate
    d) All of the above

2. ***What did Lily suggest they make outside?***

    a) A snow angel
    b) A snowman
    c) An igloo

3. ***What did they use for the snowman's nose?***

    a) A stone
    b) A stick
    c) A carrot

4. ***What did Sam and Lily do to warm up after building the snowman?***

    a) Went for a walk
    b) Made hot chocolate
    c) Took a nap

5. ***What activity did they try after warming up?***

    a) Ice skating
    b) Snowball fight
    c) Skiing

Correct Answers:

1. d) All of the above
2. b) A snowman
3. c) A carrot
4. b) Made hot chocolate
5. c) Skiing

- Chapter Nine -

THE MAGIC GARDEN

Den Magiske Hagen

Lena oppdaget en skjult hage bak bestemorens hus, overgrodd og glemt. Med nysgjerrighet og spenning bestemte hun seg for å bringe den tilbake til livet.

Da Lena ryddet bort ugress og plantet nye frø, la hun merke til noe ekstraordinært. Plantene vokste over natten, blomstene blomstret øyeblikkelig, og en tidligere usett variasjon av sommerfugler og fugler begynte å besøke.

En dag fant Lena et mystisk, eldgammelt frø begravet i hjørnet av hagen. Hun plantet det, og neste morgen hadde et praktfullt tre vokst frem, bladene skimret med magiske farger.

Hagen ble Lenas helligdom, et sted hvor magi var virkelig. Hun lærte at hagen var fortryllet, blomstret av omsorg og kjærlighet. Her kunne Lena snakke med plantene, og det virket som de lyttet, vokste seg sterkere og mer livlige.

Den magiske hagen var ikke bare vakker; den var levende, fylt med underverker og hemmeligheter som ventet på å bli oppdaget. Lena visste at hun var vokteren av dette magiske stedet, en skjult perle hvor grensen mellom virkelighet og magi ble uskarp.

Vocabulary

Garden	*Hage*
Flower	*Blomst*
Magic	*Magi*
Tree	*Tre*
Grow	*Vokse*
Plant	*Plante*
Butterfly	*Sommerfugl*
Bird	*Fugl*
Color	*Farge*
Water	*Vann*
Sunlight	*Sollys*
Seed	*Frø*
Leaf	*Blad*
Beautiful	*Vakker*
Nature	*Natur*

Questions About the Story

1. ***What did Lena discover behind her grandmother's house?***

    a) A hidden garden
    b) A treasure chest
    c) An ancient book

2. ***What extraordinary thing happened when Lena planted new seeds?***

    a) The seeds turned to gold
    b) The plants grew overnight
    c) The seeds sang songs

3. ***What did Lena find buried in the garden?***

    a) A mysterious, ancient seed
    b) A map
    c) A magic wand

4. ***What grew from the mysterious seed Lena planted?***

    a) A beanstalk
    b) A rose bush
    c) A magical tree

5. ***What became Lena's sanctuary?***

    a) The forest
    b) The magic garden
    c) Her grandmother's house

Correct Answers:

1. a) A hidden garden
2. b) The plants grew overnight
3. a) A mysterious, ancient seed
4. c) A magical tree
5. b) The magic garden

- Chapter Ten -

A TRIP TO THE ZOO

En Tur til Dyrehagen

Jack og Emily bestemte seg for å tilbringe lørdagen med å utforske byens dyrehage, ivrige etter å se det brede utvalget av dyr fra hele verden.

Deres første stopp var løvenes innhegning, hvor de så de majestetiske skapningene som lå og solte seg. Deretter besøkte de elefantene, fascinert av deres milde natur og intelligens.

Ved apekattutstillingen lo Jack og Emily av de lekne sprellene til primatene som svingte seg fra gren til gren. De ble forbløffet av artsmangfoldet og deres atferd.

Høydepunktet på besøket var matingsshowet, der de lærte om dietten og stellet av dyrene. De ble spesielt imponert over giraffenes nåde og bjørnenes kraft.

Med et kart over dyrehagen sørget de for å ikke gå glipp av noen utstillinger, fra de tropiske fuglene til reptilhuset. De avsluttet besøket med å delta på et foredrag av en dyrepasser, og fikk innsikt i bevaringsarbeid og viktigheten av å beskytte dyrelivet.

Da de forlot dyrehagen, følte Jack og Emily en fornyet følelse av undring og en dypere takknemlighet for den naturlige verden. De lovet å returnere, ivrige etter å lære mer og fortsette eventyret.

Vocabulary

Zoo	*Dyrehage*
Animal	*Dyr*
Lion	*Løve*
Elephant	*Elefant*
Monkey	*Apekatt*
Cage	*Bur*
Feed	*Mate*
Visit	*Besøke*
Bear	*Bjørn*
Giraffe	*Giraff*
Ticket	*Billett*
Guide	*Guide*
Map	*Kart*
Show	*Show*
Learn	*Lære*

Questions About the Story

1. ***What was the first animal enclosure that Jack and Emily visited at the zoo?***

    a) Lions
    b) Elephants
    c) Monkeys

2. ***What fascinated Jack and Emily about the elephants?***

    a) Their playful antics
    b) Their gentle nature and intelligence
    c) Their loud roars

3. ***What did Jack and Emily find amusing at the monkey exhibit?***

    a) The monkeys sleeping
    b) The monkeys swinging from branch to branch
    c) The monkeys hiding

4. ***What was the highlight of Jack and Emily's visit to the zoo?***

    a) The lion's roar
    b) The feeding time show
    c) The elephant ride

5. ***Which animal's grace impressed Jack and Emily during the feeding time show?***

    a) Bears
    b) Monkeys
    c) Giraffes

Correct Answers:

1. a) Lions
2. b) Their gentle nature and intelligence
3. b) The monkeys swinging from branch to branch
4. b) The feeding time show
5. c) Giraffes

- Chapter Eleven -
COOKING CLASS

Matlagingskurs

Sarah bestemte seg for å melde seg på et matlagingskurs for å lære nye oppskrifter. Kurset ble holdt på et stort kjøkken med mange ingredienser klare på bordet.

Kokken viste dem hvordan de skulle blande ingredienser for å lage en kake. "Matlaging er som magi," sa han, "med den rette oppskriften kan du skape noe deilig."

Sarah fulgte oppskriften nøye. Hun blandet, bakte, og så smakte hun på kaken sin. Den var deilig! Hun følte seg stolt og glad.

Hun lærte å kutte grønnsaker, steke egg, og koke vann for pasta. Hver rett hun laget var et nytt eventyr.

På slutten av kurset nøt Sarah og hennes klassekamerater måltidet de hadde laget sammen. Hun kunne ikke vente med å lage disse rettene hjemme.

Vocabulary

Cook	*Lage mat*
Recipe	*Oppskrift*
Ingredient	*Ingrediens*
Kitchen	*Kjøkken*
Oven	*Ovn*
Mix	*Blande*
Bake	*Bake*
Taste	*Smake*
Meal	*Måltid*
Chef	*Kokk*
Cut	*Kutte*
Dish	*Rett*
Spoon	*Skje*
Fry	*Steke*
Boil	*Koke*

Questions About the Story

1. ***What did Sarah decide to join?***

    a) A dance class
    b) A cooking class
    c) A painting class

2. ***What was the chef's analogy for cooking?***

    a) Cooking is like painting
    b) Cooking is like magic
    c) Cooking is like gardening

3. ***What did Sarah feel after tasting her cake?***

    a) Disappointed
    b) Proud and happy
    c) Confused

4. ***Which of the following skills did Sarah learn in the class?***

    a) Cutting vegetables
    b) Flying a kite
    c) Playing the guitar

5. ***What did Sarah and her classmates do at the end of the class?***

    a) They went home immediately
    b) They cleaned the kitchen
    c) They enjoyed the meal they cooked

Correct Answers:

1. b) A cooking class
2. b) Cooking is like magic
3. b) Proud and happy
4. a) Cutting vegetables
5. c) They enjoyed the meal they cooked

- Chapter Twelve -

THE TREASURE HUNT

Skattejakten

Tom og vennene hans fant et gammelt kart i en bok på biblioteket. Det viste en skatt som var gjemt på en liten øy. De bestemte seg for å legge ut på et eventyr for å finne den.

Med kartet i hendene søkte de etter ledetråder. Hver ledetråd førte dem nærmere skatten. De måtte grave, følge X-merkene og løse mysterier.

Etter en lang søken oppdaget de en kiste full av gull! De kunne ikke tro sine egne øyne. Det var et eventyr for livet.

De bestemte seg for å dele gullet med teamet sitt og donere noe til biblioteket. Skattejakten deres var en suksess, og de lærte verdien av å arbeide sammen.

Vocabulary

Treasure	*Skatt*
Map	*Kart*
Search	*Søke*
Find	*Finne*
Clue	*Ledetråd*
Dig	*Grave*
Island	*Øy*
Adventure	*Eventyr*
Chest	*Kiste*
Gold	*Gull*
Mystery	*Mysterium*
Team	*Lag*
Follow	*Følge*
X (marks the spot)	*X (markerer stedet)*
Discover	*Oppdage*

Questions About the Story

1. ***Where did Tom and his friends find the old map?***

    a) In a book at the library
    b) In Tom's attic
    c) On the internet

2. ***What did the map show?***

    a) A hidden cave
    b) A treasure on a small island
    c) A secret passage

3. ***What did Tom and his friends have to do to find the treasure?***

    a) Ask for directions
    b) Solve mysteries
    c) Buy a new map

4. ***What did they find at the end of their search?***

    a) A chest full of gold
    b) A new friend
    c) A lost puppy

5. ***What did they decide to do with the gold?***

    a) Keep it all for themselves
    b) Throw it back into the sea
    c) Share it with their team and donate some to the library

Correct Answers:

1. a) In a book at the library
2. b) A treasure on a small island
3. b) Solve mysteries
4. a) A chest full of gold
5. c) Share it with their team and donate some to the library

- Chapter Thirteen -

A RAINY DAY

En Regnværsdag

Det var en regnværsdag, og Emily var fanget inne i huset sitt. Hun så på regndråpene som skled ned vinduet og lyttet til tordenen.

Hun åpnet paraplyen sin og bestemte seg for å hoppe i pytter ute. Regnet fikk alt til å se friskt og nytt ut.

Våt som hun ble, lo hun og plasket i vannet. Det var gøy å leke i regnet, følelsen av at regnfrakken beskyttet henne mot å bli for våt.

Tilbake inne følte Emily seg koselig. Hun lagde seg en varm drikke og satt ved vinduet for å lese sin favorittbok.

Regnværsdagen ble til en fredelig tid for Emily. Hun nøt den enkle gleden av å lese og se på regnet.

Vocabulary

Rain	*Regn*
Umbrella	*Paraply*
Puddle	*Pytt*
Wet	*Våt*
Cloud	*Sky*
Raincoat	*Regnfrakk*
Drop	*Dråpe*
Splash	*Plaske*
Inside	*Inne*
Window	*Vindu*
Play	*Leke*
Thunder	*Torden*
Lightning	*Lyn*
Cozy	*Koselig*
Read	*Lese*

Questions About the Story

1. ***What was Emily doing at the beginning of the story?***

    a) Reading a book
    b) Watching raindrops on the window
    c) Jumping in puddles

2. ***What did Emily decide to do despite the rain?***

    a) Stay indoors and watch TV
    b) Go back to bed
    c) Jump in puddles outside

3. ***What protected Emily from getting too wet?***

    a) Her raincoat
    b) A large tree
    c) An umbrella

4. ***How did Emily feel playing in the rain?***

    a) Scared
    b) Excited
    c) Happy

5. ***What did Emily do after coming back inside?***

    a) Took a nap
    b) Watched a movie
    c) Made herself a hot drink and read a book

Correct Answers:

1. b) Watching raindrops on the window
2. c) Jump in puddles outside
3. a) Her raincoat
4. c) Happy
5. c) Made herself a hot drink and read a book

- Chapter Fourteen -

AT THE SUPERMARKET

MILK

På Supermarkedet

Mike gikk til supermarkedet med en liste. Han trengte å kjøpe mat for uken. Han dyttet vogna gjennom gangene, på utkikk etter grønnsaker, frukt, melk, brød og ost.

Han sjekket prisene og la varene i vogna. Supermarkedet var travelt, men Mike fant alt på listen sin.

Da han var ferdig med å handle, gikk han til kassen for å betale. Det var salg på ost, så han sparte litt penger. Mike var glad for det.

Etter å ha betalt, pakket han dagligvarene i poser og tok dem med til bilen. Han følte seg bra fordi han hadde kjøpt sunn mat til familien sin.

Vocabulary

Supermarket	*Supermarked*
Cart	*Vogn*
Buy	*Kjøpe*
Food	*Mat*
Price	*Pris*
Cashier	*Kasse*
List	*Liste*
Vegetable	*Grønnsak*
Fruit	*Frukt*
Milk	*Melk*
Bread	*Brød*
Cheese	*Ost*
Pay	*Betale*
Sale	*Salg*
Bag	*Pose*

Questions About the Story

1. *What was the main reason Mike went to the supermarket?*

   a) To buy clothes
   b) To buy food for the week
   c) To meet a friend

2. *Which of these items was NOT on Mike's shopping list?*

   a) Vegetables
   b) Fish
   c) Milk

3. *What did Mike do before putting items in his cart?*

   a) Checked the prices
   b) Called his friend
   c) Ate a snack

4. *Why was Mike happy after shopping?*

   a) He found a new job
   b) There was a sale on cheese
   c) He met a friend

5. *What did Mike do after finishing his shopping?*

   a) Went home directly
   b) Went to the cashier to pay
   c) Started shopping again

Correct Answers:

1. b) To buy food for the week
2. b) Fish
3. a) Checked the prices
4. b) There was a sale on cheese
5. b) Went to the cashier to pay

- Chapter Fifteen -

THE MUSIC LESSON

Musikktimen

Anna elsket musikk og bestemte seg for å ta musikktimer. Hun ønsket å lære å spille et instrument.

Læreren hennes var Mr. Smith. Han kunne spille piano og gitar. Han var snill og tålmodig.

I sin første time lærte Anna å spille enkle noter på pianoet. Hun prøvde også å synge en sang. Det var gøy!

Mr. Smith viste henne hvordan man leser musikknoter og finner rytmen. Anna øvde hver dag. Hun drømte om å spille i et band en dag.

Musikk gjorde Anna glad. Hun var spent på å lære mer og forbedre ferdighetene sine.

Vocabulary

Music	*Musikk*
Instrument	*Instrument*
Play	*Spille*
Lesson	*Time*
Teacher	*Lærer*
Piano	*Piano*
Guitar	*Gitar*
Sing	*Synge*
Note	*Note*
Song	*Sang*
Practice	*Øve*
Band	*Band*
Sound	*Lyd*
Rhythm	*Rytme*
Learn	*Lære*

Questions About the Story

1. ***What did Anna decide to take up?***

    a) Dance lessons
    b) Music lessons
    c) Art classes

2. ***What instruments could Mr. Smith play?***

    a) Violin and drums
    b) Piano and guitar
    c) Flute and trumpet

3. ***What did Anna learn in her first lesson?***

    a) How to dance
    b) How to play simple notes on the piano
    c) How to paint

4. ***Besides playing the piano, what else did Anna try in her lesson?***

    a) Singing a song
    b) Playing the drums
    c) Drawing

5. ***What did Mr. Smith teach Anna besides playing notes?***

    a) How to read music notes and find the rhythm
    b) How to write her own music
    c) How to conduct an orchestra

Correct Answers:

1. b) Music lessons
2. b) Piano and guitar
3. b) How to play simple notes on the piano
4. a) Singing a song
5. a) How to read music notes and find the rhythm

- Chapter Sixteen -

THE LOST PUPPY

LOST
LUST
LUCY
LUCY
LUCY
LOST
YER YEL-
LUGY!

Den Fortapte Valpen

Lucy fant en fortapt valp i gaten. Valpen hadde ikke halsbånd, men den var veldig snill og vennlig.

Hun bestemte seg for å lete etter valpens eier. Hun lagde plakater og hengte dem opp rundt i nabolaget.

Folk så plakatene og hjalp Lucy med å lete. De så i hver gate og spurte alle de møtte.

Til slutt kjente noen igjen valpen. De visste hvem eieren var og ringte dem.

Valpens eier var veldig glad for å finne kjæledyret sitt. De takket Lucy for hennes godhet og hjelp.

Lucy ga valpen en klem farvel. Hun var glad for å se valpen dra hjem trygt.

Vocabulary

Puppy	*Valp*
Search	*Søke*
Bark	*Bjeffe*
Lost	*Fortapt*
Poster	*Plakat*
Street	*Gate*
Kind	*Snill*
Find	*Finne*
Collar	*Halsbånd*
Pet	*Kjæledyr*
Happy	*Glad*
Home	*Hjem*
Owner	*Eier*
Safe	*Trygg*
Hug	*Klem*

Questions About the Story

1. ***Why did Lucy decide to search for the puppy's owner?***

    a) She wanted to keep the puppy
    b) The puppy had a collar with a name
    c) She found the puppy lost and kind

2. ***What did Lucy do to find the puppy's owner?***

    a) She took the puppy to a vet
    b) She made and put up posters around the neighborhood
    c) She called the police

3. ***How did the community respond to Lucy's effort?***

    a) They ignored her
    b) They helped her search for the owner
    c) They advised her to keep the puppy

4. ***How was the puppy's owner finally found?***

    a) Through a social media post
    b) Someone recognized the puppy from the posters
    c) The puppy ran back home on its own

5. ***What was the puppy's owner's reaction to getting their pet back?***

    a) They were indifferent
    b) They offered a reward to Lucy
    c) They were very happy and thankful

Correct Answers:

1. c) She found the puppy lost and kind
2. b) She made and put up posters around the neighborhood
3. b) They helped her search for the owner
4. b) Someone recognized the puppy from the posters
5. c) They were very happy and thankful

- Chapter Seventeen -

THE ART COMPETITION

Kunstkonkurransen

Emma elsket å male. Hun bestemte seg for å delta i en kunstkonkurranse. Hun tok med seg penselen, malingene, og et stort lerret for å starte på bildet sitt. Emma ønsket å skape noe fylt med farge og kreativitet.

Temaet for konkurransen var "Naturens skjønnhet." Emma malte et vakkert landskap med trær, en elv, og fugler som fløy på himmelen. Hun brukte lyse farger for å få bildet sitt til å skille seg ut.

På utstillingsdagen ble Emmas maleri vist i galleriet blant mange andre. Folk kom for å se på kunsten og stemme på sin favoritt.

Dommerne beundret Emmas design og kreativitet. Da de annonserte vinneren, ble Emmas navn ropt opp! Hun vant prisen for beste maleri.

Emma følte seg stolt og glad. Hennes kunst ble verdsatt, og hun følte seg motivert til å male enda mer.

Vocabulary

Paint	*Male*
Brush	*Pensel*
Picture	*Bilde*
Color	*Farge*
Prize	*Pris*
Judge	*Dommer*
Exhibit	*Utstilling*
Creativity	*Kreativitet*
Design	*Design*
Art	*Kunst*
Winner	*Vinner*
Gallery	*Galleri*
Canvas	*Lerret*
Display	*Vise*
Vote	*Stemme*

Questions About the Story

1. ***What did Emma decide to do?***

   a) Join a cooking class
   b) Enter an art competition
   c) Write a book

2. ***What was the theme of the art competition?***

   a) Modern life
   b) Abstract thoughts
   c) Nature's Beauty

3. ***What did Emma paint?***

   a) A cityscape
   b) A portrait
   c) A landscape with trees and a river

4. ***What did Emma use to stand out her painting?***

   a) Dark colors
   b) Bright colors
   c) Only black and white

5. ***What did the judges admire about Emma's painting?***

   a) The size
   b) The design and creativity
   c) The frame

Correct Answers:

1. b) Enter an art competition
2. c) Nature's Beauty
3. c) A landscape with trees and a river
4. b) Bright colors
5. b) The design and creativity

- Chapter Eighteen -

A DAY AT THE FARM

En Dag på Gården

Tom besøkte en gård for en dag. Han gledet seg til å se alle dyrene og lære om livet på gården. Bonden, Herr Brown, ønsket Tom velkommen og viste ham rundt.

Først gikk de til låven for å mate kuene og hestene. Tom lærte hvordan man melker en ku og ble forbløffet av prosessen. De samlet også egg fra hønene.

Tom kjørte traktor med Herr Brown for å se på åkrene. De snakket om innhøstingen og hvordan høy blir laget for dyrene.

Tom så griser, matet dem og hjalp til og med med å samle høy. Han lærte så mye om det harde arbeidet med å være bonde.

Ved slutten av dagen følte Tom seg glad og takknemlig. Han takket Herr Brown for den fantastiske opplevelsen på gården.

Vocabulary

Farm	*Gård*
Animal	*Dyr*
Cow	*Ku*
Horse	*Hest*
Feed	*Mate*
Barn	*Låve*
Tractor	*Traktor*
Hay	*Høy*
Milk	*Melk*
Egg	*Egg*
Farmer	*Bonde*
Field	*Åker*
Harvest	*Innhøsting*
Chicken	*Høne*
Pig	*Gris*

Questions About the Story

1. ***Who welcomed Tom to the farm?***

    a) The farm animals
    b) A neighbor
    c) Mr. Brown

2. ***What did Tom learn to do for the first time on the farm?***

    a) Drive a tractor
    b) Milk a cow
    c) Ride a horse

3. ***What did Tom and Mr. Brown talk about during the tractor ride?***

    a) The weather
    b) The animals' names
    c) The harvest and how hay is made

4. ***Besides cows, which other animals did Tom feed?***

    a) Chickens
    b) Pigs
    c) Both chickens and pigs

5. ***What was Tom's feeling at the end of his day at the farm?***

    a) Tired
    b) Happy and grateful
    c) Bored

Correct Answers:

1. c) Mr. Brown
2. b) Milk a cow
3. c) The harvest and how hay is made
4. c) Both chickens and pigs
5. b) Happy and grateful

- Chapter Nineteen -

THE SCIENCE FAIR

XXRIIMGYING

Vitenskapsmessen

Lucy forberedte seg til vitenskapsmessen på skolen. Hun hadde en flott idé til et eksperiment. Prosjektet hennes handlet om den kjemiske reaksjonen mellom natron og eddik.

Lucy satte opp utstillingen sin i skolens laboratorium. Hun hadde all sin data og observasjoner klare til å presenteres. Hun var litt nervøs, men også spent.

Under messen kom mange studenter og lærere for å se Lucys eksperiment. Hun forklarte sin hypotese og viste dem reaksjonen. Alle ble imponert over arbeidet hennes.

Etter at alle prosjektene var testet og vurdert, kunngjorde dommerne resultatene. Lucys prosjekt vant en pris for beste eksperiment!

Lucy følte seg stolt over sitt harde arbeid. Vitenskapsmessen var en stor suksess, og hun elsket å dele sin interesse for vitenskap med andre.

Vocabulary

Experiment	*Eksperiment*
Science	*Vitenskap*
Project	*Prosjekt*
Hypothesis	*Hypotese*
Result	*Resultat*
Research	*Forskning*
Display	*Utstilling*
Test	*Test*
Observation	*Observasjon*
Conclusion	*Konklusjon*
Data	*Data*
Measure	*Måle*
Laboratory	*Laboratorium*
Chemical	*Kjemisk*
Reaction	*Reaksjon*

Questions About the Story

1. ***What was Lucy's science fair project about?***

    a) The growth of plants
    b) The solar system
    c) The chemical reaction between baking soda and vinegar

2. ***Where did Lucy set up her display for the science fair?***

    a) In the school library
    b) In the school laboratory
    c) In the school gymnasium

3. ***How did Lucy feel about presenting her project?***

    a) Confident and bored
    b) Nervous but excited
    c) Indifferent

4. ***Who was Lucy's audience during her experiment demonstration?***

    a) Only the judges
    b) Only her classmates
    c) Students and teachers

5. ***What did Lucy do during the fair?***

    a) She only observed other projects
    b) She explained her hypothesis and showed the reaction
    c) She helped organize the event

Correct Answers:

1. c) The chemical reaction between baking soda and vinegar
2. b) In the school laboratory
3. b) Nervous but excited
4. c) Students and teachers
5. b) She explained her hypothesis and showed the reaction

- Chapter Twenty -

A SUMMER VACATION

En Sommerferie

Anna og familien hennes bestemte seg for å ta en sommerferie. De pakket koffertene sine, smurte seg med solkrem, og dro til stranden. Det var en solrik dag, perfekt for å svømme og slappe av.

De bodde på et lite hotell nær stranden. Hver dag reiste de rundt på øya og utforsket nye steder. Anna elsket å ta bilder med kameraet sitt for å huske eventyret.

En dag bestemte de seg for å kjøpe suvenirer til vennene sine. De fant vakre skjell og postkort. Anna valgte en liten, håndlaget båt som et minne fra turen.

Om kveldene satt de ved stranden og så på stjernene. Anna følte seg glad og avslappet. Denne ferien var et eventyr hun aldri ville glemme.

Vocabulary

Vacation	*Ferie*
Beach	*Strand*
Travel	*Reise*
Suitcase	*Koffert*
Hotel	*Hotell*
Sunscreen	*Solkrem*
Swim	*Svømme*
Map	*Kart*
Tourist	*Turist*
Relax	*Slappe av*
Explore	*Utforske*
Adventure	*Eventyr*
Souvenir	*Suvenir*
Island	*Øy*
Camera	*Kamera*

Questions About the Story

1. ***What did Anna and her family do during their summer vacation?***

    a) Went skiing
    b) Went to the beach
    c) Visited a museum

2. ***What did Anna use to capture memories of their vacation?***

    a) Her memory
    b) A diary
    c) A camera

3. ***What type of souvenirs did Anna and her family buy?***

    a) Magnets and keychains
    b) Shells and postcards
    c) T-shirts and hats

4. ***What was Anna's special souvenir from the trip?***

    a) A seashell necklace
    b) A beach towel
    c) A small, handmade boat

5. ***Where did Anna and her family stay during their vacation?***

    a) In a tent
    b) In a large resort
    c) In a small hotel near the beach

Correct Answers:

1. b) Went to the beach
2. c) A camera
3. b) Shells and postcards
4. c) A small, handmade boat
5. c) In a small hotel near the beach

- Chapter Twenty-One -

THE BICYCLE RACE

Sykkelkonkurransen

Mike meldte seg på en sykkelkonkurranse i byen sin. Han tok på seg hjelmen, sjekket sykkeldekkene sine, og sørget for at han hadde det riktige utstyret for fart. Løypen var lang og utfordrende, men Mike var klar for å konkurrere.

Da løpet startet, tråkket Mike så fort han kunne. Han kunne kjenne vinden i ansiktet og spenningen fra konkurransen. Han fokuserte på mållinjen, og prøvde å holde energien oppe.

Rundt ham prøvde også de andre syklistene sitt beste. Mike visste at han måtte holde farten oppe for å vinne. Da de nærmet seg mållinjen, ga Mike alt han hadde og krysset linjen først.

Han hadde vunnet løpet! Mike følte seg stolt og glad. Han var nå championen av sykkelkonkurransen.

Vocabulary

Bicycle	*Sykkel*
Race	*Konkurranse*
Helmet	*Hjelm*
Pedal	*Tråkke*
Speed	*Fart*
Track	*Løype*
Compete	*Konkurrere*
Finish line	*Mållinje*
Tire	*Dekk*
Champion	*Champion*
Route	*Rute*
Energy	*Energi*
Cyclist	*Syklist*
Gear	*Utstyr*
Victory	*Seier*

Questions About the Story

1. ***What did Mike do to prepare for the bicycle race?***

   a) Checked his bicycle's tires
   b) Put on his running shoes
   c) Packed a lunch

2. ***What was Mike's feeling during the race?***

   a) Scared
   b) Excited
   c) Tired

3. ***How did Mike feel about the race track?***

   a) Easy
   b) Boring
   c) Long and challenging

4. ***What was essential for Mike to win the race?***

   a) Speed
   b) A new bike
   c) A cheering crowd

5. ***What did Mike focus on to keep his energy high?***

   a) The start line
   b) The other cyclists
   c) The finish line

Correct Answers:

1. a) Checked his bicycle's tires
2. b) Excited
3. c) Long and challenging
4. a) Speed
5. c) The finish line

- Chapter Twenty-Two -

A NIGHT AT THE CAMPING

En Natt ved Campingplassen

Sarah og vennene hennes dro på camping i skogen. De satte opp teltet sitt ved siden av en vakker innsjø. Da natten kom, tente de et bål og stekte marshmallows.

Skogen var stille, og himmelen var full av stjerner. De delte historier og nøt freden i naturen. Sarah følte seg lykkelig over å være borte fra den travle byen.

Før de gikk til sengs, tente de lommelyktene for å finne veien tilbake til teltet. Natten var mørk, men bålet holdt dem varme.

Liggende i teltet lyttet de til lydene fra skogen. Det var en perfekt natt for camping. Sarah tenkte på hvor mye hun elsket stillheten og stjernene.

Vocabulary

Camping	*Camping*
Tent	*Telt*
Fire	*Bål*
Marshmallow	*Marshmallow*
Forest	*Skog*
Star	*Stjerne*
Sleep	*Sove*
Dark	*Mørk*
Flashlight	*Lommelykt*
Backpack	*Ryggsekk*
Nature	*Natur*
Quiet	*Stille*
Campfire	*Leirbål*
Night	*Natt*
Lake	*Innsjø*

Questions About the Story

1. ***What did Sarah and her friends do as night fell during their camping trip?***

    a) They went to sleep immediately
    b) They lit a campfire and roasted marshmallows
    c) They packed up and went home

2. ***What made Sarah feel happy while camping?***

    a) The busy city life
    b) The sound of cars passing by
    c) The peacefulness of nature

3. ***What did Sarah and her friends use to find their way back to the tent?***

    a) A map
    b) Flashlights
    c) A compass

4. ***How did Sarah and her friends feel about the forest at night?***

    a) Scared and uneasy
    b) Curious and adventurous
    c) Peaceful and content

5. ***What kept Sarah and her friends warm at night?***

    a) Their sleeping bags
    b) The campfire
    c) Hot drinks

Correct Answers:

1. b) They lit a campfire and roasted marshmallows
2. c) The peacefulness of nature
3. b) Flashlights
4. c) Peaceful and content
5. b) The campfire

- Chapter Twenty-Three -

THE FAMILY REUNION

Familiegjenforeningen

Sist sommer deltok Emma i en familiegjenforening. Den ble holdt i besteforeldrenes hus, hvor alle hennes slektninger, inkludert fettere, kusiner, tanter og onkler, samlet seg. De organiserte en stor grillfest i hagen.

Alle lo og delte historier fra fortiden. Emmas besteforeldre fortalte eventyr fra deres ungdom, som alle fant morsomme og hjertevarmende. Det var klemmer og smil overalt ettersom familiemedlemmer gjenforentes.

De tok mange bilder for å fange minnene fra dagen. Gjenforeningen var en feiring av familiebånd og kjærlighet. De nøt et festmåltid sammen, og følte gleden av å være sammen etter lang tid.

Emma følte seg takknemlig for familien sin. Gjenforeningen minnet henne om det sterke båndet de delte. Hun så frem til flere samlinger i fremtiden.

Vocabulary

Family	*Familie*
Reunion	*Gjenforening*
Cousin	*Fetter/Kusine*
Barbecue	*Grillfest*
Laugh	*Le*
Story	*Historie*
Grandparent	*Besteforelder*
Hug	*Klem*
Together	*Sammen*
Memory	*Minne*
Photo	*Bilde*
Celebration	*Feiring*
Feast	*Festmåltid*
Joy	*Glede*
Relative	*Slektning*

Questions About the Story

1. ***Where was the family reunion held?***

   a) At a park
   b) At Emma's house
   c) At her grandparents' house

2. ***What did the family organize in the garden?***

   a) A dance party
   b) A big barbecue
   c) A swimming competition

3. ***What were Emma's grandparents doing that everyone found amusing?***

   a) Performing magic tricks
   b) Singing
   c) Telling tales about their youth

4. ***How did the family members feel during the reunion?***

   a) Indifferent
   b) Anxious
   c) Joyful and grateful

5. ***What did Emma and her family do to capture memories of the day?***

   a) Painted a mural
   b) Wrote in a journal
   c) Took a lot of photos

Correct Answers:

1. c) At her grandparents' house
2. b) A big barbecue
3. c) Telling tales about their youth
4. c) Joyful and grateful
5. c) Took a lot of photos

- Chapter Twenty-Four -

A VISIT TO THE MUSEUM

Et Besøk på Museet

Liam og klassen hans dro på skoletur til museet. De gledet seg til å se utstillingene om historie og kunst. Museumsveilederen ledet dem gjennom galleriene og forklarte hver utstilling.

De så antikke skulpturer og vakre malerier. Liam var fascinert av historiene bak hvert kunstverk. De lærte om forskjellige kulturer og oppdaget informasjon som var ny for dem.

Et av høydepunktene var å se en statue fra en gammel sivilisasjon. Liam tok notater og stilte veilederen mange spørsmål. Han ønsket å lære så mye som mulig.

Besøket til museet var et utdannende eventyr. Liam og klassen hans forlot museet inspirerte og ivrige etter å utforske mer om historie og kunst.

Vocabulary

Museum	*Museum*
Exhibit	*Utstilling*
History	*Historie*
Art	*Kunst*
Guide	*Veileder*
Sculpture	*Skulptur*
Painting	*Maleri*
Ticket	*Billett*
Tour	*Omvisning*
Ancient	*Gammel*
Culture	*Kultur*
Discover	*Oppdage*
Information	*Informasjon*
Statue	*Statue*
Gallery	*Galleri*

Questions About the Story

1. ***What was the purpose of Liam and his class's visit to the museum?***

    a) To see exhibits about history and art
    b) To participate in an art competition
    c) To attend a music concert

2. ***Who led Liam and his class through the museum?***

    a) Their teacher
    b) A museum guide
    c) A famous artist

3. ***What did Liam find fascinating at the museum?***

    a) Modern art installations
    b) Ancient sculptures and beautiful paintings
    c) Interactive science exhibits

4. ***What did Liam do when he saw the statue from an ancient civilization?***

    a) He ignored it
    b) He took notes and asked many questions
    c) He drew a sketch of it

5. ***What did Liam and his classmates learn about at the museum?***

    a) Different cultures
    b) Cooking recipes
    c) Sports history

Correct Answers:

1. a) To see exhibits about history and art
2. b) A museum guide
3. b) Ancient sculptures and beautiful paintings
4. b) He took notes and asked many questions
5. a) Different cultures

- Chapter Twenty-Five -

THE BOOK CLUB

Bokklubben

Anna ble med i en bokklubb i nabolaget sitt. Hver måned velger de en roman de skal lese og diskutere. Denne måneden leste de en fascinerende historie med interessante karakterer og en kompleks handling.

På møtet delte medlemmene sine meninger og tolkninger av boken. De snakket om forfatterens stil og temaene som ble utforsket i historien. Alle hadde forskjellige synspunkter, noe som gjorde diskusjonen livlig og interessant.

Anna likte å høre hva andre tenkte om boken. Hun fant det opplysende å se hvordan en historie kunne oppfattes på så mange forskjellige måter. Klubben anbefalte også andre bøker av samme forfatter og i lignende sjangre.

Å være en del av bokklubben gjorde at Anna kunne oppdage ny litteratur og få venner som delte hennes lidenskap for lesing. Hun så frem til hvert møte og de nye bøkene de skulle utforske sammen.

Vocabulary

Book	*Bok*
Club	*Klubb*
Read	*Lese*
Discuss	*Diskutere*
Author	*Forfatter*
Novel	*Roman*
Character	*Karakter*
Plot	*Handling*
Meeting	*Møte*
Opinion	*Mening*
Chapter	*Kapittel*
Recommend	*Anbefale*
Genre	*Sjanger*
Theme	*Tema*
Literature	*Litteratur*

Questions About the Story

1. ***What activity does Anna participate in with her neighborhood?***

    a) Gardening
    b) Painting
    c) Reading books

2. ***How often does the book club choose a new novel to read?***

    a) Every month
    b) Every week
    c) Every two months

3. ***What did the book club members do at the meeting?***

    a) Practiced cooking
    b) Shared their opinions about the book
    c) Painted pictures

4. ***How did Anna feel about the book club discussions?***

    a) Enlightened and interested
    b) Bored and uninterested
    c) Confused and overwhelmed

5. ***What did the book club do besides discussing the current book?***

    a) Organized a picnic
    b) Took a group photo
    c) Recommended other books

Correct Answers:

1. c) Reading books
2. a) Every month
3. b) Shared their opinions about the book
4. a) Enlightened and interested
5. c) Recommended other books

- Chapter Twenty-Six -

SPORTS DAY

FINISH
11
20
10
19

Idrettsdagen

I dag er det idrettsdag på skolen. Alle er spente på konkurransen. Lagene er klare, og idrettsutøverne varmer opp på løpebanen. Luften fylles av lyden av folk som heier.

Det første øvelsen er løpet. Mark løper så fort han kan, med øynene festet på mållinjen. Han vinner løpet og føler seg stolt når han mottar en medalje. Treneren gir ham tommelen opp, og laget hans heier høyt.

Neste er lengdehopp. Sarah tar et dypt pust og løper. Hun hopper med all sin styrke og vinner en annen medalje for laget sitt. Alle applauderer hennes prestasjon.

På slutten av dagen vinner laget med flest medaljer trofeet. De har øvd hardt for denne dagen, og deres innsats lønnet seg. Idrettsdagen var en suksess, full av moro, konkurranse og lagånd.

Vocabulary

Competition	*Konkurranse*
Team	*Lag*
Medal	*Medalje*
Race	*Løp*
Jump	*Hopp*
Run	*Løpe*
Winner	*Vinner*
Coach	*Trener*
Sport	*Idrett*
Cheer	*Heie*
Athlete	*Idrettsutøver*
Track	*Løpebane*
Strength	*Styrke*
Practice	*Øve*
Trophy	*Trofé*

Questions About the Story

1. ***What event did Mark participate in during Sports Day?***

   a) Race
   b) Long jump
   c) Soccer

2. ***Who won the race?***

   a) Sarah
   b) The coach
   c) Mark

3. ***What did Mark feel after winning the race?***

   a) Sad
   b) Proud and happy
   c) Indifferent

4. ***What event did Sarah win?***

   a) Race
   b) Long jump
   c) Chess

5. ***What did the team win at the end of the day?***

   a) A medal
   b) A trophy
   c) A certificate

Correct Answers:

1. a) Race
2. c) Mark
3. b) Proud and happy
4. b) Long jump
5. b) A trophy

- Chapter Twenty-Seven -
THE MAGIC SHOW

MAGI

Magishowet

I kveld arrangeres det et magishow i rådhuset. Magikeren, Leo, er klar til å forbløffe publikummet sitt med triks og illusjoner. Rommet er mørkt, bortsett fra spotlighten på scenen.

Leo starter med å få en kanin til å forsvinne fra hatten sin. Publikummet gisper overrasket og applauderer deretter. For sitt neste triks ber han om en frivillig til å trekke et kort. Det valgte kortet dukker magisk opp i Leos lomme!

Det siste nummeret er det mest spektakulære. Leo veiver tryllestaven, og med et "poff", forsvinner han, for så å dukke opp igjen bak publikummet! Alle er sjokkerte og jubler høyt.

Idet teppet faller, fortsetter publikum å applaudere, forbløffet over magien de har vært vitne til. Det var en natt fylt med overraskelser og fortryllende illusjoner.

Vocabulary

Magic	*Magi*
Trick	*Triks*
Magician	*Magiker*
Disappear	*Forsvinne*
Rabbit	*Kanin*
Hat	*Hatt*
Applaud	*Applaudere*
Card	*Kort*
Illusion	*Illusjon*
Show	*Show*
Wand	*Tryllestav*
Audience	*Publikum*
Perform	*Opptre*
Curtain	*Teppe*
Surprise	*Overraskelse*

Questions About the Story

1. ***Where was the magic show hosted?***

    a) School auditorium
    b) Town hall
    c) Local park

2. ***What was the first trick Leo performed?***

    a) Pulled a rabbit from his hat
    b) Made himself disappear
    c) Picked a card from a volunteer

3. ***How did Leo surprise the audience with the card trick?***

    a) The card floated in mid-air
    b) The card changed colors
    c) The chosen card appeared in his pocket

4. ***What was Leo's final act?***

    a) Turning day into night
    b) Making a volunteer vanish
    c) Disappearing and reappearing behind the audience

5. ***How did the audience react to Leo's final act?***

    a) With silence
    b) With boos
    c) With loud cheers

Correct Answers:

1. b) Town hall
2. a) Pulled a rabbit from his hat
3. c) The chosen card appeared in his pocket
4. c) Disappearing and reappearing behind the audience
5. c) With loud cheers

- Chapter Twenty-Eight -

AT THE BEACH

På Stranden

Emma og vennene hennes bestemmer seg for å tilbringe dagen på stranden. Solen skinner, og en mild bris kjøler luften. De legger håndklærne sine på den myke sanden og setter opp en solskjerm.

Barna bygger et sandslott nær kysten, mens Emma og vennene hennes soler seg og slapper av. De ser på måkene som flyr og lytter til bølgene som bryter.

Etter en stund går de alle for å bade. Vannet er forfriskende. De spruter og leker i bølgene, ler og har det veldig gøy.

Når dagen tar slutt, pakker de sammen og etterlater fotspor i sanden. Dagen på stranden var perfekt, full av moro, avslapning og naturens skjønnhet.

Vocabulary

Sand	*Sand*
Wave	*Bølge*
Shell	*Skjell*
Towel	*Håndkle*
Sunbathe	*Sole seg*
Castle	*Slott*
Ocean	*Hav*
Seagull	*Måke*
Shore	*Kyst*
Swim	*Svømme*
Bucket	*Bøtte*
Sunburn	*Solbrenthet*
Surf	*Surfe*
Cool	*Kjølig*
Breeze	*Bris*

Questions About the Story

1. ***What did Emma and her friends decide to do for the day?***

   a) Go hiking
   b) Visit the museum
   c) Spend the day at the beach

2. ***What activity did the children engage in near the shore?***

   a) Playing volleyball
   b) Building a sandcastle
   c) Swimming

3. ***What did Emma and her friends do while the children played?***

   a) They went for a swim
   b) They built a sandcastle
   c) They sunbathed and chatted

4. ***How did Emma and her friends feel when they went for a swim?***

   a) Tired
   b) Cold
   c) Refreshed

5. ***What did they do as the day ended?***

   a) Started a campfire
   b) Left footprints in the sand as they packed up
   c) Stayed for the night

Correct Answers:

1. c) Spend the day at the beach
2. b) Building a sandcastle
3. c) They sunbathed and chatted
4. c) Refreshed
5. b) Left footprints in the sand as they packed up

- Chapter Twenty-Nine -

THE PHOTOGRAPHY CONTEST

Fotokonkurransen

Anna elsker å ta bilder. Hun hører om en fotokonkurranse i byen sin. Temaet er "Natur i byen". Anna er begeistret og ønsker å fange det perfekte bildet.

Hun tar med seg kameraet sitt og går rundt i byen. Anna ser etter den beste vinkelen for å vise naturen i den travle byen. Hun fotograferer trær i parken, fugler på gaten og blomster som vokser gjennom sprekker i fortauet.

Etter mange bilder velger Anna sitt beste bilde. Det er et foto av en sommerfugl på en blomst med skyskrapere i bakgrunnen. Hun redigerer bildet for å fokusere mer på sommerfuglen og sender det inn til konkurransen.

Uker senere mottar Anna gode nyheter. Hun er vinneren! Bildet hennes skal stilles ut i rådhuset. Hun vinner en premie og føler seg stolt over arbeidet sitt. Anna er glad for at hun kunne vise skjønnheten av natur i byen gjennom linsen sin.

Vocabulary

Camera	*Kamera*
Photograph	*Fotografi*
Picture	*Bilde*
Contest	*Konkurranse*
Image	*Bilde*
Focus	*Fokus*
Prize	*Premie*
Capture	*Fange*
Lens	*Linse*
Angle	*Vinkel*
Shot	*Skudd*
Edit	*Redigere*
Theme	*Tema*
Winner	*Vinner*
Exhibit	*Utstille*

Questions About the Story

1. ***What is the theme of the photography contest Anna participates in?***

    a) Urban Landscapes
    b) Nature in the City
    c) City Nightlife

2. ***What subjects does Anna photograph for the contest?***

    a) Skyscrapers and streets
    b) People in the city
    c) Trees, birds, and flowers

3. ***What makes Anna's winning photograph special?***

    a) It shows a crowded city scene
    b) It captures a butterfly on a flower with skyscrapers in the background
    c) It is a picture of a sunset over the city

4. ***How does Anna feel after winning the photography contest?***

    a) Disappointed
    b) Confused
    c) Proud

5. ***What does Anna do with her camera in the city?***

    a) Sells it
    b) Takes photographs
    c) Loses it

Correct Answers:

1. b) Nature in the City
2. c) Trees, birds, and flowers
3. b) It captures a butterfly on a flower with skyscrapers in the background
4. c) Proud
5. b) Takes photographs

- Chapter Thirty -

A PLAY IN THE PARK

Et Skuespill i Parken

Det lokale teatergruppen bestemmer seg for å fremføre et skuespill i parken. Skuespillet er en komedie om vennskap og eventyr. Alle er spente på utendørsforestillingen.

Lucas er regissøren. Han jobber med skuespillerne for å øve på replikkene og handlingene deres. Skuespillerne bærer fargerike kostymer og bruker rekvisitter for å gjøre scenene mer interessante.

På dagen for forestillingen kommer mange mennesker til parken. De sitter på tepper og stoler, i påvente av at skuespillet skal starte. Når teppet åpner, vises skuespillerne på scenen, og skuespillet begynner.

Publikummet nyter skuespillet. De ler og applauderer etter hver scene. Skuespillerne føler seg glade for å bringe glede til så mange mennesker.

Etter den siste scenen gir publikummet stor applaus. Skuespillerne tar en bukking, og Lucas takker alle for at de kom. Det var et vellykket skuespill i parken, og alle håper å se mer i fremtiden.

Vocabulary

Play	*Skuespill*
Actor	*Skuespiller*
Stage	*Scene*
Performance	*Forestilling*
Audience	*Publikum*
Script	*Manus*
Character	*Karakter*
Applause	*Applaus*
Costume	*Kostyme*
Rehearse	*Øve*
Director	*Regissør*
Curtain	*Teppe*
Drama	*Drama*
Props	*Rekvisitter*
Scene	*Scene*

Questions About the Story

1. ***What type of play does the local theater group decide to perform in the park?***

    a) A drama about history
    b) A comedy about friendship and adventure
    c) A musical about love

2. ***Who is the director of the play?***

    a) Lucas
    b) Emma
    c) Sarah

3. ***What do the actors use to make the scenes more interesting?***

    a) Special lighting effects
    b) Colorful costumes and props
    c) Pre-recorded music

4. ***How does the audience watch the play?***

    a) Standing up
    b) Sitting on blankets and chairs
    c) Via a live stream

5. ***What is the audience's reaction to the play?***

    a) They are bored
    b) They are confused
    c) They laugh and applaud

Correct Answers:

1. b) A comedy about friendship and adventure
2. a) Lucas
3. b) Colorful costumes and props
4. b) Sitting on blankets and chairs
5. c) They laugh and applaud

- Chapter Thirty-One -

THE HEALTH FAIR

HEALTH
FAIR
Community Center

Helsemessen

Samfunnssenteret organiserer en helsemesse. Målet er å lære folk om ernæring, trening og generell velvære. Mange leger og eksperter kommer for å gi råd og utføre gratis sjekker.

Emily er interessert i å lære mer om sunn livsstil. Hun besøker forskjellige boder på messen. I en bod lærer hun om viktigheten av trening. En annen bod tilbyr ernæringsråd for et balansert kosthold.

Det er også screening for ulike helsesjekker. Emily bestemmer seg for å ta en sjekk, og legen forteller henne at hun er sunn, men bør trene mer regelmessig.

Emily forlater helsemessen motivert. Hun har lært mye om hvordan hun kan holde kroppen sin sunn. Hun planlegger å begynne å trene mer og spise bedre. Helsemessen var en flott måte for henne å starte sin reise mot velvære.

Vocabulary

Health	*Helse*
Fair	*Messe*
Nutrition	*Ernæring*
Exercise	*Trening*
Doctor	*Lege*
Check-up	*Sjekk*
Wellness	*Velvære*
Booth	*Bod*
Advice	*Råd*
Fitness	*Fysisk form*
Screen	*Screening*
Healthy	*Sunn*
Diet	*Kosthold*
Prevention	*Forebygging*
Hygiene	*Hygiene*

Questions About the Story

1. ***Where did the health fair take place?***

   a) At a school
   b) In a park
   c) At the community center

2. ***What was the main goal of the health fair?***

   a) To promote local businesses
   b) To teach people about nutrition, exercise, and wellness
   c) To fundraise for the community center

3. ***Which booth did Emily learn about the importance of exercise?***

   a) Nutrition booth
   b) Exercise booth
   c) Wellness booth

4. ***What advice did another booth offer Emily?***

   a) To exercise more regularly
   b) To drink more water
   c) Nutritional advice for a balanced diet

5. ***What did the doctor advise Emily after her health check-up?***

   a) She's healthy but should exercise more regularly
   b) She needs to eat more vegetables
   c) She should drink more water

Correct Answers:

1. c) At the community center
2. b) To teach people about nutrition, exercise, and wellness
3. b) Exercise booth
4. c) Nutritional advice for a balanced diet
5. a) She's healthy but should exercise more regularly

- Chapter Thirty-Two -

A BOAT TRIP

En Båttur

Tom og vennene hans bestemmer seg for å ta en båttur på elven. Tom er kapteinen på den lille båten. De tar på seg redningsvester for sikkerhetens skyld og starter reisen tidlig om morgenen.

Vannet er rolig, og de ser fisk svømme under båten. Sola skinner lyst, og får vannet til å gnistre. De seiler forbi grønne bredder, og vinker til andre båter.

Ved middagstid ankrer de opp nær et vakkert sted og har piknik på dekket. De deler sandwicher og drikke, og nyter utsikten og de rolige bølgene.

Etter pausen fortsetter de turen. De ser fugler fly over elven og nyter den friske luften. Turen føles som et eventyr.

Når solen går ned, returnerer de til havnen og dokker båten. De takker Tom for å være en flott kaptein. Det var en perfekt dag på vannet, full av moro og avslapning.

Vocabulary

Boat	*Båt*
River	*Elv*
Sail	*Seile*
Captain	*Kaptein*
Fish	*Fisk*
Water	*Vann*
Trip	*Tur*
Anchor	*Anker*
Deck	*Dekk*
Wave	*Bølge*
Life jacket	*Redningsvest*
Port	*Havn*
Voyage	*Reise*
Crew	*Mannskap*
Dock	*Dokk*

Questions About the Story

1. ***Who is the captain of the boat during the trip?***

    a) Tom
    b) One of Tom's friends
    c) A hired captain

2. ***What safety gear did Tom and his friends wear on the boat?***

    a) Life jackets
    b) Helmets
    c) Elbow pads

3. ***What time of day did they start their boat trip?***

    a) Early in the morning
    b) At noon
    c) In the evening

4. ***What natural feature did they enjoy during their picnic on the deck?***

    a) Mountains
    b) Fish swimming under the boat
    c) Desert

5. ***What did Tom and his friends do at noon during their boat trip?***

    a) Continued sailing
    b) Went swimming
    c) Had a picnic on the deck

Correct Answers:

1. a) Tom
2. a) Life jackets
3. a) Early in the morning
4. b) Fish swimming under the boat
5. c) Had a picnic on the deck

- Chapter Thirty-Three -

THE SCHOOL CONCERT

Skolekonserten

Skolen bestemmer seg for å holde en konsert for å vise frem sitt musikkorps og kor. Studentene har øvet i uker, og alle gleder seg til å opptre.

På konsertkvelden fylles skolens auditorium med publikum. Lysene dempes, og scenen lyser opp. Bandet begynner å spille, og sangerne begynner å synge. Musikken fyller rommet, og publikum er fengslet.

Under konserten fremfører flere studenter soloer. De spiller instrumenter eller synger, og viser sitt talent. Etter hver opptreden, applauderer publikum høyt for å vise sin anerkjennelse.

Den siste sangen samler alle på scenen. Det er et vakkert øyeblikk, og når musikken avsluttes, er applausen dundrende.

Konserten var en suksess. Studentene føler seg stolte av sin prestasjon, og publikum forlater stedet mens de nynner på den siste sangen. Det var en natt å huske, full av musikk og glede.

Vocabulary

Concert	*Konsert*
Music	*Musikk*
Band	*Orkester*
Sing	*Synge*
Audience	*Publikum*
Stage	*Scene*
Instrument	*Instrument*
Perform	*Opptre*
Choir	*Kor*
Song	*Sang*
Applause	*Applaus*
Microphone	*Mikrofon*
Rehearsal	*Øving*
Solo	*Solo*
Note	*Note*

Questions About the Story

1. ***What event does the story describe?***

   a) A school play
   b) A school concert
   c) A sports day

2. ***What did the students do to prepare for the concert?***

   a) Practiced for weeks
   b) Studied science experiments
   c) Rehearsed a play

3. ***How did the audience react to the concert?***

   a) They were silent
   b) They left early
   c) They applauded loudly

4. ***What was the highlight of the concert?***

   a) The lighting
   b) The solos
   c) The costumes

5. ***What brought everyone together on stage?***

   a) The opening song
   b) The final song
   c) An award ceremony

Correct Answers:

1. b) A school concert
2. a) Practiced for weeks
3. c) They applauded loudly
4. b) The solos
5. b) The final song

- Chapter Thirty-Four -

A WINTER FESTIVAL

Et Vinterfestival

Byen holder en vinterfestival hvert år. Dette året bestemmer Lucy og familien hennes seg for å delta på moroa. Festivalen er full av aktiviteter som is-skøyting, snøballkrig og drikking av varm kakao.

De starter med å skøyte på den frosne dammen. Lucy er litt klønete i begynnelsen, men snart glir hun av gårde som en proff. De ler og nyter den friske vinterluften.

Neste, de har en snøballkrig, og lager fort av snø. Snøflakene faller forsiktig, og legger til moroa. Etter kampen varmer de seg med varm kakao ved peisen, og føler seg koselige.

Høydepunktet på festivalen er sledeturen. De pakker seg inn i skjerf og votter og nyter turen gjennom de snødekte gatene, kjenner kulden, men elsker varmen av å være sammen.

Vinterfestivalen bringer glede og varme til den kalde sesongen. Lucy og familien hennes går hjem følelse glade og fornøyde, og ser allerede frem til neste år.

Vocabulary

Festival	*Festival*
Ice skating	*Is-skøyting*
Snowball	*Snøball*
Hot cocoa	*Varm kakao*
Winter	*Vinter*
Snowflake	*Snøflak*
Mittens	*Votter*
Scarf	*Skjerf*
Fireplace	*Peis*
Celebration	*Feiring*
Chill	*Kulde*
Sleigh	*Slede*
Frost	*Frost*
Warmth	*Varme*
Cozy	*Koselig*

Questions About the Story

1. ***What is the theme of the winter festival?***

    a) Sports competitions
    b) Food tasting
    c) Ice skating and snow activities

2. ***What activity did Lucy find challenging at first?***

    a) Sleigh riding
    b) Snowball fighting
    c) Ice skating

3. ***How did Lucy and her family feel during the sleigh ride?***

    a) Scared
    b) Excited but cold
    c) Bored

4. ***What did Lucy and her family do to warm up after the snowball fight?***

    a) Went home
    b) Drank hot cocoa by the fireplace
    c) Continued playing in the snow

5. ***What makes the winter festival special for Lucy and her family?***

    a) Winning a prize
    b) The cold weather
    c) The joy and warmth of being together

Correct Answers:

1. c) Ice skating and snow activities
2. c) Ice skating
3. b) Excited but cold
4. b) Drank hot cocoa by the fireplace
5. c) The joy and warmth of being together

- Chapter Thirty-Five -

THE HOMEMADE ROBOT

Den Hjemmelagde Roboten

Jake elsker å finne opp ting. En dag bestemmer han seg for å bygge en robot. Han samler batterier, ledninger og andre deler. Han arbeider på rommet sitt, designer og programmerer sin nye venn.

Etter mange timer er Jakes robot klar. Han kaller den Robo. Robo kan bevege seg, snakke og til og med hjelpe med lekser. Jake bruker en fjernkontroll for å betjene Robo og viser ham rundt i huset.

Jakes familie er forbløffet over Robo. De ser på mens Robo plukker opp leker og rydder rommet. Jake er stolt av oppfinnelsen sin. Han planlegger flere eksperimenter for å forbedre Robos funksjoner.

Robo blir en del av Jakes familie. Jake lærer mye om teknologi og maskiner gjennom Robo. Han drømmer om å bli en stor oppfinner, og skape flere roboter for å hjelpe mennesker.

Vocabulary

Robot	*Robot*
Build	*Bygge*
Program	*Programmere*
Battery	*Batteri*
Control	*Kontroll*
Invent	*Finne opp*
Machine	*Maskin*
Design	*Design*
Circuit	*Krets*
Technology	*Teknologi*
Sensor	*Sensor*
Operate	*Operere*
Experiment	*Eksperimentere*
Function	*Funksjon*
Automatic	*Automatisk*

Questions About the Story

1. ***What does Jake love to do?***

    a) Cook
    b) Invent things
    c) Play sports

2. ***What is the name of Jake's robot?***

    a) Robo
    b) Buddy
    c) Sparky

3. ***What can Robo do?***

    a) Sing
    b) Dance
    c) Help with homework

4. ***How does Jake operate Robo?***

    a) Voice commands
    b) A remote control
    c) An app

5. ***What is Jake's family's reaction to Robo?***

    a) Scared
    b) Amazed
    c) Indifferent

Correct Answers:

1. b) Invent things
2. a) Robo
3. c) Help with homework
4. b) A remote control
5. b) Amazed

- Chapter Thirty-Six -

A SCIENCE EXPERIMENT

Et Vitenskapelig Eksperiment

Sara er en nysgjerrig elev som elsker vitenskap. Til sitt skoleprosjekt bestemmer hun seg for å gjennomføre et eksperiment på laboratoriet. Hun ønsker å forstå kjemiske reaksjoner.

Med vernebriller på, måler Sara nøye kjemikalier og heller dem i et reagensrør. Hun observerer mens løsningen endrer farge og bobler dannes. Hun skriver ned sine observasjoner og hypoteser.

Læreren hennes ser på og nikker anerkjennende. Sara forklarer sitt eksperiment for klassen, og viser fram sine data og resultater. Vennene hennes er imponerte over hennes kunnskap og den spennende reaksjonen.

Saras eksperiment vinner skolens vitenskapsmesse. Hun føler seg stolt og begeistret for sin prestasjon. Hun innser at vitenskap handler om å utforske og oppdage verdens underverker.

Vocabulary

Experiment	*Eksperiment*
Science	*Vitenskap*
Test tube	*Reagensrør*
Measure	*Måle*
Observation	*Observasjon*
Laboratory	*Laboratorium*
Chemical	*Kjemikalie*
Reaction	*Reaksjon*
Hypothesis	*Hypotese*
Data	*Data*
Result	*Resultat*
Research	*Forskning*
Safety goggles	*Vernebriller*
Solution	*Løsning*
Analyze	*Analysere*

Questions About the Story

1. ***What is Sara's school project about?***

    a) Physics
    b) Chemical reactions
    c) Biology

2. ***What does Sara wear for safety during her experiment?***

    a) Apron
    b) Safety goggles
    c) Gloves

3. ***What happens to the solution in the test tube during Sara's experiment?***

    a) It freezes
    b) It changes color and bubbles
    c) It becomes solid

4. ***Who observes Sara conducting her experiment?***

    a) Her friends
    b) Her parents
    c) Her teacher

5. ***What does Sara do with her observations?***

    a) Tells her friends
    b) Writes them down
    c) Ignores them

Correct Answers:

1. b) Chemical reactions
2. b) Safety goggles
3. b) It changes color and bubbles
4. c) Her teacher
5. b) Writes them down

- Chapter Thirty-Seven -

THE LIBRARY ADVENTURE

Bibliotekseventyret

Emily besøker biblioteket for å finne en bok til sitt historieprosjekt. Mens hun søker gjennom bokhyllene, oppdager hun en mystisk bok uten tittel. Intrigert åpner hun den og finner et kart som leder til en skjult del av biblioteket.

Med en følelse av eventyr følger Emily kartet. Hun hvisker til seg selv, spent på mysteriet. Bibliotekaren ser på henne med et smil, kjent med bibliotekets hemmeligheter.

Til slutt finner Emily den skjulte seksjonen. Den er fylt med gamle bøker og historier. Hun tilbringer timer med å lese og oppdage nye ting. Hun låner noen bøker, ivrig etter å lære mer hjemme.

Da hun leverer tilbake bøkene, takker Emily bibliotekaren for det utrolige eventyret. Hun har funnet ikke bare bøker, men en kjærlighet for lesing og utforsking av det ukjente.

Vocabulary

Library	*Bibliotek*
Bookshelf	*Bokhylle*
Adventure	*Eventyr*
Mystery	*Mysterium*
Librarian	*Bibliotekar*
Catalog	*Katalog*
Whisper	*Hviske*
Discover	*Oppdage*
Title	*Tittel*
Author	*Forfatter*
Chapter	*Kapittel*
Story	*Historie*
Borrow	*Låne*
Return	*Levere tilbake*
Reading	*Lesing*

Questions About the Story

1. ***What does Emily discover in the library?***

    a) A mysterious book
    b) A hidden door
    c) A secret map

2. ***What does the mysterious book contain?***

    a) A spell
    b) A map to a hidden section
    c) A history of the library

3. ***Who watches Emily with a knowing smile?***

    a) A friend
    b) A ghost
    c) The librarian

4. ***What is Emily's main purpose for visiting the library?***

    a) To return a book
    b) To meet friends
    c) To find a book for her history project

5. ***How does Emily feel when following the map?***

    a) Scared
    b) Excited
    c) Confused

Correct Answers:

1. a) A mysterious book
2. b) A map to a hidden section
3. c) The librarian
4. c) To find a book for her history project
5. b) Excited

- Chapter Thirty-Eight -

A HIKING TRIP

En Fjelltur

Tom og Lisa bestemmer seg for å dra på fjelltur. De pakker ryggsekkene sine med vann, et kart og et kompass. Spente på å være nær naturen, starter de eventyret tidlig om morgenen.

Følgende en merket sti, går de gjennom en tett skog, og lytter til lydene av dyrelivet rundt dem. Stien er bratt, men Tom og Lisa nyter hvert skritt, og føler den friske fjelluften.

Halvveis opp, stopper de for å campe. De setter opp teltet og nyter den fantastiske utsikten over dalen nedenfor. Natten er fredelig, og de sovner under stjernene.

Neste dag når de toppen. Utsikten fra toppen er fantastisk. De utforsker området, tar bilder for å huske reisen. Fornøyde begynner de nedstigningen, allerede med planer om deres neste tur.

Vocabulary

Hike	*Fjelltur*
Trail	*Sti*
Backpack	*Ryggsekk*
Map	*Kart*
Compass	*Kompass*
Nature	*Natur*
Mountain	*Fjell*
Forest	*Skog*
Camp	*Campe*
View	*Utsikt*
Path	*Sti*
Wildlife	*Dyreliv*
Tent	*Telt*
Summit	*Topp*
Explore	*Utforske*

Questions About the Story

1. ***What do Tom and Lisa decide to do?***

   a) Have a picnic
   b) Go on a hiking trip
   c) Go fishing

2. ***What do they pack in their backpacks?***

   a) Water, a map, and a compass
   b) Sunscreen and a beach towel
   c) A laptop and headphones

3. ***Where do they decide to camp?***

   a) At the beach
   b) In a forest clearing
   c) Halfway up the mountain

4. ***What is the view like from the summit?***

   a) Breathtaking
   b) Cloudy
   c) Foggy

5. ***What do they do at the summit?***

   a) Start a fire
   b) Build a snowman
   c) Take photos

Correct Answers:

1. b) Go on a hiking trip
2. a) Water, a map, and a compass
3. c) Halfway up the mountain
4. a) Breathtaking
5. c) Take photos

- Chapter Thirty-Nine -

THE SCHOOL DANCE

Skoleballet

Skolegymsalen er forvandlet for det årlige skoleballet. Fargerike lys og musikk fyller rommet, og skaper en livlig atmosfære. Emma og vennene hennes er spente, kledd i sine fineste antrekk.

Musikken starter, og alle begynner å danse. Emma føler seg sjenert i begynnelsen, men finner snart rytmen og begynner å bevege seg med selvtillit. Hun ler og nyter øyeblikket, og kjenner musikkens beat.

Jake, en venn fra klassen, spør Emma om å danse. Sammen slutter de seg til andre på dansegulvet, beveger seg i takt til en favorittsang. Rommet er fylt med energi og latter mens studentene nyter natten.

Når den siste sangen spilles, samles Emma og vennene hennes i en sirkel, holder hender og danser. De er glade og takknemlige for den morsomme kvelden. Skoleballet er et minne de vil verne om.

Vocabulary

Dance	*Dans*
Music	*Musikk*
Friend	*Venn*
Dress	*Kjole*
Suit	*Dress*
Gym	*Gymsal*
Move	*Bevege*
Beat	*Beat*
Partner	*Partner*
Fun	*Moro*
Song	*Sang*
DJ	*DJ*
Step	*Skritt*
Laugh	*Le*
Enjoy	*Nyte*

Questions About the Story

1. ***What did Tom and Lisa decide to do?***

    a) Go on a beach vacation
    b) Take a boat trip
    c) Go on a hiking trip in the mountains

2. ***What did they bring with them for the hike?***

    a) Just a map
    b) Water, a map, and a compass
    c) Only their cellphones

3. ***Where did they stop to camp?***

    a) At the summit
    b) Halfway up the mountain
    c) In the dense forest

4. ***What was the atmosphere like during their hike?***

    a) Noisy and crowded
    b) Quiet and filled with the sounds of wildlife
    c) Extremely windy and uncomfortable

5. ***What did they do at the summit?***

    a) Decided to camp there
    b) Took photos to remember their journey
    c) Called for help to descend

Correct Answers:

1. c) Go on a hiking trip in the mountains
2. b) Water, a map, and a compass
3. b) Halfway up the mountain
4. b) Quiet and filled with the sounds of wildlife
5. b) Took photos to remember their journey

- Chapter Forty -

AN UNEXPECTED JOURNEY

En Uventet Reise

Mark mottar et mystisk brev med et kart og en invitasjon til en uventet reise. Intrigert pakker han ryggsekken og legger ut på tur, ivrig etter å oppdage hva som venter.

Følgende kartet reiser Mark gjennom ulike landskap, hver mer vakker enn den forrige. Han møter en kunnskapsrik guide som deler historier om lokal kultur og landemerker.

Eventyret deres tar dem gjennom gamle ruiner, over elver og inn i livlige byer. På veien lærer og opplever Mark ting han aldri kunne forestilt seg. Reisen lærer ham verdien av å utforske og skjønnheten ved å oppdage det ukjente.

Når Mark returnerer hjem, innser han at den virkelige skatten var selve reisen og minnene han skapte. Han ser frem til sitt neste eventyr med spenning og et åpent hjerte.

Vocabulary

Journey	*Reise*
Surprise	*Overraskelse*
Destination	*Destinasjon*
Travel	*Reise*
Map	*Kart*
Discover	*Oppdage*
Adventure	*Eventyr*
Guide	*Guide*
Explore	*Utforske*
Route	*Rute*
Vehicle	*Kjøretøy*
Backpack	*Ryggsekk*
Landmark	*Landemerke*
Culture	*Kultur*
Experience	*Opplevelse*

Questions About the Story

1. ***What does Mark receive that inspires him to start his journey?***

    a) A mysterious letter and a map
    b) A phone call from a friend
    c) A digital message

2. ***What does Mark pack for his journey?***

    a) Just a camera and a notebook
    b) A backpack with water, a map, and a compass
    c) Only his phone and wallet

3. ***Who does Mark meet that helps him during his journey?***

    a) A mysterious stranger
    b) A family member
    c) A knowledgeable guide

4. ***What types of landscapes does Mark travel through?***

    a) Deserts and cities only
    b) Mountains and forests
    c) Ancient ruins, rivers, and vibrant cities

5. ***What does Mark learn is the real treasure from his journey?***

    a) Gold and jewels
    b) The journey itself and the memories made
    c) A hidden artifact

Correct Answers:

1. a) A mysterious letter and a map
2. b) A backpack with water, a map, and a compass
3. c) A knowledgeable guide
4. c) Ancient ruins, rivers, and vibrant cities
5. b) The journey itself and the memories made

- Chapter Forty-One -

THE CULTURAL FESTIVAL

Den Kulturelle Festivalen

Torget er levende med den årlige kulturelle festivalen. Fargerike boder linjerer gatene, hver representerer forskjellige kulturer med musikk, dans, og tradisjonelle kostymer. Anna og Ben er spente på å utforske.

De starter med en danseopptreden, hvor dansere i livlige kostymer beveger seg til rytmen av tradisjonell musikk. Anna og Ben klapper i takt, fengslet av energien og ferdigheten.

Deretter vandrer de gjennom matbodene, og smaker på retter fra hele verden. Aromaene er tiltalende, og hver bit er en oppdagelse av nye smaker.

Ved håndverksboden beundrer de håndlagde kunstverkene, hver forteller en historie om arv og tradisjon. De ser en parade av opptredener, hver gruppe stolt viser frem sin kultur.

Festivalen er en feiring av mangfold og enhet. Anna og Ben forlater med en dypere verdsettelse for verdens kulturer, hjertene fulle av musikk og sinn beriket med ny kunnskap.

Vocabulary

Festival	*Festival*
Culture	*Kultur*
Dance	*Dans*
Music	*Musikk*
Tradition	*Tradisjon*
Costume	*Kostyme*
Food	*Mat*
Craft	*Håndverk*
Parade	*Parade*
Exhibit	*Utstilling*
Celebration	*Feiring*
Performance	*Opptreden*
Art	*Kunst*
Booth	*Bod*
Heritage	*Arv*

Questions About the Story

1. ***What prompted Tom and Lisa to pack for their adventure?***

   a) A hiking trip in the mountains
   b) A beach vacation
   c) A skiing holiday

2. ***What did Tom and Lisa bring with them for the hike?***

   a) Sunscreen and a surfboard
   b) A map and a compass
   c) Ski equipment

3. ***Where did Tom and Lisa decide to camp during their hike?***

   a) At the summit
   b) In a dense forest
   c) Near a beautiful valley

4. ***What was the view like from the summit?***

   a) Cloudy and obscured
   b) Breathtaking
   c) No view, it was too dark

5. ***What did Tom and Lisa do at the summit?***

   a) Set up their tent
   b) Took photos
   c) Went fishing

Correct Answers:

1. a) A hiking trip in the mountains
2. b) A map and a compass
3. c) Near a beautiful valley
4. b) Breathtaking
5. b) Took photos

- Chapter Forty-Two -

A DAY WITHOUT ELECTRICITY

En Dag Uten Elektrisitet

En kveld fører et strømbrudd til at byen havner i mørke. Emma og hennes familie befinner seg uten elektrisitet. De tenner lys og samles i stuen, en lommelykt kaster skygger på veggene.

Stillheten uten den vanlige summingen av elektronikk er merkelig, men fredelig. De bestemmer seg for å spille brettspill i lyset fra stearinlysene, ler og nyter hverandres selskap på en måte de ikke har gjort på lenge.

Emma leser en bok ved lyset av en lanterne, historien blir mer fengslende i det flakkende lyset. Ute skinner stjernene klarere uten byens lys, og familien går ut for å stirre på nattehimmelen, forundret over stjernenes skjønnhet.

Natten uten elektrisitet bringer familien nærmere hverandre, og minner dem om gleden ved enkle ting og skjønnheten ved å roe ned.

Vocabulary

Electricity	*Elektrisitet*
Candle	*Stearinlys*
Dark	*Mørk*
Light	*Lys*
Battery	*Batteri*
Flashlight	*Lommelykt*
Quiet	*Stille*
Read	*Lese*
Board game	*Brettspill*
Night	*Natt*
Family	*Familie*
Talk	*Snakke*
Fire	*Ild*
Lantern	*Lanterne*
Stars	*Stjerner*

Questions About the Story

1. ***What event leads to the family spending time together without electricity?***

    a) A city-wide celebration
    b) A power outage
    c) A decision to unplug for the day

2. ***What do Emma and her family use for light during the power outage?***

    a) Electric lamps
    b) Candles and a flashlight
    c) The light from their phones

3. ***How does the family spend their time during the power outage?***

    a) Watching television
    b) Playing board games
    c) Sleeping early

4. ***What does Emma do by the light of a lantern?***

    a) Cooks dinner
    b) Reads a book
    c) Plays a musical instrument

5. ***What natural phenomenon is more visible due to the power outage?***

    a) Rainbows
    b) The stars
    c) Northern lights

Correct Answers:

1. b) A power outage
2. b) Candles and a flashlight
3. b) Playing board games
4. b) Reads a book
5. b) The stars

- Chapter Forty-Three -

THE BIG GAME

12

Det Store Spillet

Det lokale fotballaget har nådd mesterskapet, og hele byen summer av spenning. I dag er den store kampdagen, og alle samles på feltet, kledd i lagets farger og klare for å heie.

Tom, lagets stjerne, føler vekt av forventning, men er bestemt på å vinne. Treneren gir en motivasjonstale, og minner laget om deres harde arbeid og dedikasjon.

Når spillet starter, heier publikum høyt. Konkurransen er tøff, men Tom klarer å score det vinnende målet i de siste minuttene. Stadion eksploderer i glede når laget feirer sin seier.

Etter kampen takker laget sine fans for støtten. Det store spillet var ikke bare en seier for laget, men en feiring av fellesskapsånd og samarbeid.

Vocabulary

Game	*Spill*
Team	*Lag*
Score	*Score*
Win	*Vinne*
Lose	*Tape*
Player	*Spiller*
Coach	*Trener*
Field	*Felt*
Cheer	*Heie*
Uniform	*Uniform*
Ball	*Ball*
Goal	*Mål*
Match	*Kamp*
Referee	*Dommer*
Competition	*Konkurranse*

Questions About the Story

1. ***What event is the town excited about?***

    a) A local festival
    b) The championship football game
    c) A concert

2. ***Who is the star player of the team?***

    a) The coach
    b) Tom
    c) The goalkeeper

3. ***What did the coach do before the game started?***

    a) Gave a motivational speech
    b) Scored a goal
    c) Left the stadium

4. ***How did the crowd react as the game started?***

    a) They were silent
    b) They booed
    c) They cheered loudly

5. ***What was the outcome of the game?***

    a) The team lost
    b) The team won
    c) The game was canceled

Correct Answers:

1. b) The championship football game
2. b) Tom
3. a) Gave a motivational speech
4. c) They cheered loudly
5. b) The team won

- Chapter Forty-Four -
A MYSTERY GUEST

En Mystisk Gjest

På Annas årlige fest er det stor spenning rundt en mystisk gjest. Anna sender ut invitasjoner med et hint: "I år vil en overraskelsesgjest gjøre kvelden vår uforglemmelig." Alle er spente og begynner å gjette hvem det kan være.

På festkvelden ankommer gjestene, fulle av spekulasjoner og hvisking om den mystiske gjesten. Huset er livlig, fylt med latter og musikk. Anna nyter spenningen, men holder hemmeligheten godt skjult.

Midtveis i festen samler Anna alle. "Det er på tide å avsløre vår mystiske gjest!" annonserer hun. Rommet blir stille i forventning. Så, fra et annet rom, kommer den mystiske gjesten frem – det er en berømt lokal musiker, en venn av Anna som har vært på turné i utlandet.

Gjestene er begeistret, og bryter ut i applaus og jubel. Musikerens opptreden gjør kvelden virkelig minneverdig. Den mystiske gjesten var høydepunktet på festen, og alle takker Anna for en slik fantastisk overraskelse.

Vocabulary

Guest	*Gjest*
Mystery	*Mysterium*
Invite	*Invitasjon*
Party	*Fest*
Surprise	*Overraskelse*
Guess	*Gjette*
Reveal	*Avsløre*
Host	*Vert*
Evening	*Kveld*
Secret	*Hemmelighet*
Clue	*Hint*
Discover	*Oppdage*
Whisper	*Hviske*
Excitement	*Spenning*
Unveil	*Avduke*

Questions About the Story

1. ***What was the occasion at Anna's house?***

    a) A birthday party
    b) An annual party
    c) A wedding celebration

2. ***What clue did Anna provide about the surprise guest in the invites?***

    a) "A famous actor will join us."
    b) "This year, a surprise guest will make our evening unforgettable."
    c) "Guess who's coming to dinner."

3. ***How did the guests react to the anticipation of the mystery guest?***

    a) They were indifferent
    b) They were excited and guessing
    c) They were confused

4. ***Who was the mystery guest?***

    a) A famous author
    b) A local teacher
    c) A famous local musician

5. ***What did the mystery guest do at the party?***

    a) Gave a speech
    b) Performed a few songs
    c) Cooked for the guests

Correct Answers:

1. b) An annual party
2. b) "This year, a surprise guest will make our evening unforgettable."
3. b) They were excited and guessing
4. c) A famous local musician
5. b) Performed a few songs

- Chapter Forty-Five -

THE CHARITY EVENT

99

Veldedighetsarrangementet

Samfunnssenteret organiserer et veldedighetsarrangement for å støtte en lokal sak. Alle inviteres til å delta, donere og bidra til å gjøre en forskjell. Arrangementet inkluderer en auksjon hvor gjenstander donert av samfunnsmedlemmer legges ut for bud.

Sarah frivilliger på arrangementet, hjelper til med å organisere auksjonsgjenstandene og ønske gjestene velkommen. Hun er rørt av folks generøsitet som samles for å støtte saken.

Når auksjonen begynner, fylles samfunnssenteret med ivrige budgivere. Hver gjenstand som auksjoneres bort bringer inn mer penger til saken, og Sarah føler en følelse av stolthet og glede over samfunnets innsats.

Arrangementet er en suksess og samler inn betydelige midler. Samfunnets støtte og generøsitet overgår forventningene, og arrangørene takker alle for deres bidrag og giverånd.

Vocabulary

Charity	*Veldedighet*
Event	*Arrangement*
Donate	*Donere*
Fundraise	*Innsamling*
Volunteer	*Frivillig*
Help	*Hjelpe*
Cause	*Sak*
Support	*Støtte*
Money	*Penger*
Auction	*Auksjon*
Community	*Samfunn*
Generosity	*Generøsitet*
Benefit	*Fordel*
Organize	*Organisere*
Contribution	*Bidrag*

Questions About the Story

1. ***What type of event does the community center organize?***

    a) A music concert
    b) A charity event
    c) A sports tournament

2. ***What is included in the charity event?***

    a) A fashion show
    b) An auction
    c) A cooking competition

3. ***What role does Sarah play at the event?***

    a) Auctioneer
    b) Performer
    c) Volunteer

4. ***What does Sarah feel about the community's effort?***

    a) Disappointed
    b) Indifferent
    c) Proud and joyful

5. ***What does the auction contribute to?***

    a) Raising funds for a local cause
    b) Celebrating the community's anniversary
    c) Funding the community center's renovation

Correct Answers:

1. b) A charity event
2. b) An auction
3. c) Volunteer
4. c) Proud and joyful
5. a) Raising funds for a local cause

- Chapter Forty-Six -
LEARNING TO SKATE

Å Lære å Gå på Skøyter

Emily bestemmer seg for å lære å gå på skøyter og melder seg på kurs ved den lokale ishallen. På sin første dag er hun både nervøs og spent. Hun tar på seg skøytene, går ut på isen og føler seg straks ustø.

Hennes trener, Herr Jones, oppmuntrer henne til å fortsette å prøve. "Balansen er nøkkelen," sier han. Emily øver på å gli og svinge, og føler seg gradvis mer selvsikker på isen. Hun faller noen ganger, men ler det av og reiser seg opp igjen.

Med hver time forbedrer Emilys ferdigheter seg. Hun lærer å skøyte raskere og med mer smidighet. Frykten for å falle avtar etter hvert som hun blir mer komfortabel på isen.

Ved slutten av sesongen kan Emily grasiøst skøyte rundt i ishallen. Hun er takknemlig for Herr Jones' tålmodighet og veiledning. Å lære å gå på skøyter har lært henne ikke bare om balanse på isen, men også om utholdenhet og å overvinne frykt.

Vocabulary

Skate	*Skøyte*
Ice	*Is*
Rink	*Ishall*
Balance	*Balanse*
Fall	*Falle*
Helmet	*Hjelm*
Glide	*Gli*
Coach	*Trener*
Practice	*Øve*
Boots	*Skøyter*
Turn	*Svinge*
Learn	*Lære*
Speed	*Fart*
Safety	*Sikkerhet*
Lesson	*Time*

Questions About the Story

1. ***Why did Emily decide to take ice skating lessons?***

    a) She wanted to become a professional skater
    b) She was looking for a new hobby
    c) She wanted to learn something challenging

2. ***How did Emily feel when she first stepped onto the ice?***

    a) Confident and ready
    b) Nervous and excited
    c) Disappointed and scared

3. ***What key advice did Mr. Jones give to Emily?***

    a) Speed is everything
    b) Balance is key
    c) Practice makes perfect

4. ***What was Emily's reaction to falling on the ice?***

    a) She gave up immediately
    b) She cried and felt embarrassed
    c) She laughed it off and got back up

5. ***How did Emily's skills change over the course of her lessons?***

    a) They deteriorated due to lack of practice
    b) They slightly improved but not significantly
    c) She learned to skate faster and with more agility

Correct Answers:

1. c) She wanted to learn something challenging
2. b) Nervous and excited
3. b) Balance is key
4. c) She laughed it off and got back up
5. c) She learned to skate faster and with more agility

- Chapter Forty-Seven -

A HISTORICAL TOUR

En Historisk Omvisning

Tom og Sara bestemmer seg for å bli med på en historisk omvisning i byen sin. De møter guiden sin, Herr Lee, ved inngangen til museet. "I dag skal vi utforske den rike historien til byen vår," kunngjør Herr Lee.

Deres første stopp er et storslått slott fra det 12. århundre. "Dette slottet har vært vitne til mange viktige hendelser," forklarer Herr Lee. Tom og Sara er fascinert av den gamle arkitekturen og fortellingene fra fortiden.

Neste stopp er ruinene av et gammelt monument. Herr Lee deler historier om menneskene som en gang bodde der. Tom og Sara føler at de reiser tilbake i tid.

Omvisningen avsluttes på museet, hvor de ser på artefakter og utstillinger om byens kultur og arv. De lærer om gamle verktøy, klær og kunst som har formet byens historie.

Tom og Sara forlater omvisningen opplyst og takknemlige for sjansen til å oppdage byens fortid. De planlegger å utforske flere historiske steder sammen.

Vocabulary

Historical	*Historisk*
Tour	*Omvisning*
Monument	*Monument*
Guide	*Guide*
Century	*Århundre*
Castle	*Slott*
Museum	*Museum*
Artifact	*Artefakt*
Explore	*Utforske*
Ruins	*Ruiner*
Discover	*Oppdage*
Ancient	*Gammel*
Exhibition	*Utstilling*
Culture	*Kultur*
Heritage	*Arv*

Questions About the Story

1. ***Who leads the historical tour Tom and Sara join?***

   a) Mr. Lee
   b) A museum curator
   c) A history professor

2. ***What is the first historical site Tom and Sara visit on their tour?***

   a) A medieval village
   b) An ancient monument
   c) A grand castle from the 12th century

3. ***What do Tom and Sara feel as they explore the castle?***

   a) Boredom
   b) Confusion
   c) Fascination and wonder

4. ***Where does the tour end?***

   a) At the city hall
   b) Back at the museum
   c) In the city square

5. ***What do Tom and Sara learn about at the museum?***

   a) Modern art
   b) The city's future plans
   c) The city's culture and heritage

Correct Answers:

1. a) Mr. Lee
2. c) A grand castle from the 12th century
3. c) Fascination and wonder
4. b) Back at the museum
5. c) The city's culture and heritage

- Chapter Forty-Eight -
THE BAKE SALE

Bakeutsalget

Lisa og vennene hennes organiserer et bakeutsalg på skolen for å samle inn penger til et lokalt dyrevern. De tilbringer hele dagen før med å bake kaker, kjeks og paier.

På salgsdagen setter Lisa opp et bord med alle de deilige godbitene. "Alt lukter så godt," tenker hun, i håp om at mange vil kjøpe bakverket deres.

Salget er en suksess! Folk elsker de søte kjeksene og de luftige kakene. Lisa og vennene hennes blander forskjellige ingredienser for å skape unike smaker, som blir favorittene.

Ved slutten av dagen er nesten alt utsolgt. Lisa teller pengene og er begeistret for å se hvor mye de har samlet inn til dyrevernet. "Dette innsamlingsaksjonen var en flott idé," sier hun.

Bakeutsalget hjelper ikke bare dyrevernet, men bringer også samfunnet sammen for en søt sak.

Vocabulary

Bake	*Bake*
Sale	*Utsalg*
Cake	*Kake*
Cookie	*Kjeks*
Oven	*Ovn*
Dough	*Deig*
Mix	*Blande*
Recipe	*Oppskrift*
Ingredient	*Ingrediens*
Sweet	*Søt*
Pie	*Pai*
Fundraiser	*Innsamlingsaksjon*
Delicious	*Deilig*
Sugar	*Sukker*
Flour	*Mel*

Questions About the Story

1. ***What was the purpose of the bake sale organized by Lisa and her friends?***

    a) To fund a school trip
    b) To support a local animal shelter
    c) To buy new sports equipment for the school

2. ***What items did Lisa and her friends bake for the sale?***

    a) Cakes, cookies, and pies
    b) Sandwiches and salads
    c) Vegan and gluten-free snacks

3. ***What was Lisa's hope for the bake sale?***

    a) To sell out everything by noon
    b) To raise enough money for a new animal shelter
    c) That many people would buy their baked goods

4. ***How did the community respond to the bake sale?***

    a) They ignored the sale
    b) They complained about the prices
    c) They loved the sweet cookies and the fluffy cakes

5. ***What unique approach did Lisa and her friends take for their baked goods?***

    a) Using family recipes
    b) Mixing different ingredients to create unique flavors
    c) Baking everything with organic ingredients

Correct Answers:

1. b) To support a local animal shelter
2. a) Cakes, cookies, and pies
3. c) That many people would buy their baked goods
4. c) They loved the sweet cookies and the fluffy cakes
5. b) Mixing different ingredients to create unique flavors

- Chapter Forty-Nine -
THE TALENT SHOW

Talentshowet

Det lokale samfunnssenteret arrangerer et talentshow der alle er invitert til å opptre. Emma bestemmer seg for å synge, og hennes bror Jake vil utføre et tryllekunstner-nummer.

Scenen er satt, og publikummet er ivrige etter å se opptredenene. Emma er nervøs, men spent. Når det er hennes tur, synger hun vakkert, og publikummet applauderer høyt.

Jake følger etter med sine trylletriks, får en kanin til å forsvinne og deretter dukke opp igjen. Folkemengden er forbløffet og gir ham stor applaus.

Dommerne har vanskelig for å bestemme seg, men til slutt tildeler de priser til de mest fremstående talentene. Emma og Jake vinner ikke, men de er glade for å ha opptredt.

Talentshowet bringer samfunnet sammen, og feirer de varierte talentene blant dem. Emma og Jake ser frem til å delta igjen neste år.

Vocabulary

Talent	*Talent*
Show	*Show*
Perform	*Opptre*
Stage	*Scene*
Audience	*Publikum*
Judge	*Dommer*
Act	*Nummer*
Sing	*Synge*
Dance	*Danse*
Magic	*Magi*
Award	*Pris*
Applause	*Applaus*
Contestant	*Deltaker*
Juggle	*Sjonglere*
Performer	*Artist*

Questions About the Story

1. ***What event do Emma and Jake participate in?***

    a) A bake sale
    b) A talent show
    c) A school play

2. ***What talent does Emma showcase at the talent show?***

    a) Dancing
    b) Singing
    c) Magic tricks

3. ***What does Jake perform in the talent show?***

    a) A dance
    b) A song
    c) A magic act

4. ***How does the audience react to Emma's performance?***

    a) They leave the room
    b) They boo
    c) They applaud loudly

5. ***What magic trick does Jake perform?***

    a) Pulling a hat out of a rabbit
    b) Making a rabbit disappear and reappear
    c) Levitating

Correct Answers:

1. b) A talent show
2. b) Singing
3. c) A magic act
4. c) They applaud loudly
5. b) Making a rabbit disappear and reappear

- Chapter Fifty -

A DAY WITH GRANDPARENTS

En Dag med Besteforeldrene

Anna besøker besteforeldrene sine for dagen. De bor i et hus med en stor hage. "Vi har en spesiell dag planlagt," sier bestemoren hennes med et smil.

Først baker de kjeks sammen. Annas bestemor lærer henne hvordan man blander deigen. "Baking er en tradisjon i familien vår," forklarer hun. De nyter de varme kjeksene til lunsj.

Etter lunsj går de til hagen. Bestefaren hennes viser Anna hvordan man planter frø. "Hager er som familier; de vokser med kjærlighet og omsorg," sier han.

De tilbringer ettermiddagen med å se på gamle familiebilder. "Disse minnene er dyrebare," sier bestemoren hennes, og gir Anna en klem.

Før hun drar, klemmer Anna besteforeldrene sine. "I dag var fantastisk. Takk for at dere lærte meg så mye," sier hun. De smiler, glade for å dele sin visdom og kjærlighet.

Vocabulary

Grandparents	*Besteforeldre*
Story	*Historie*
Bake	*Bake*
Garden	*Hage*
Teach	*Lære*
Memory	*Minne*
Love	*Kjærlighet*
Old	*Gammel*
Wisdom	*Visdom*
Photo	*Bilde*
Lunch	*Lunsj*
Hug	*Klem*
Family	*Familie*
Tradition	*Tradisjon*
Smile	*Smil*

Questions About the Story

1. ***What activity did Anna and her grandparents start with?***

   a) Planting seeds
   b) Baking cookies
   c) Looking at old family photos

2. ***What metaphor did Anna's grandpa use to describe gardens?***

   a) Gardens need sunlight to grow
   b) Gardens are like families; they grow with love and care
   c) Gardens are full of surprises

3. ***What did Anna and her grandparents enjoy after baking?***

   a) They went for a walk in the garden
   b) They had lunch and enjoyed the warm cookies
   c) They started planting seeds immediately

4. ***What did Anna learn from her grandparents?***

   a) How to bake cookies and plant seeds
   b) The history of their family
   c) Both A and B

5. ***What was the special day planned by Anna's grandparents?***

   a) A baking day
   b) A gardening day
   c) A day full of family activities

Correct Answers:

1. b) Baking cookies
2. b) Gardens are like families; they grow with love and care
3. b) They had lunch and enjoyed the warm cookies
4. c) Both A and B
5. c) A day full of family activities

- Chapter Fifty-One -

THE PUZZLE CHALLENGE

Puslespillutfordringen

I skolen kunngjør fru Clark en puslespillutfordring. "Dette vil teste logikken og samarbeidet deres," sier hun. Klassen er spent.

Hvert lag får et puslespill med mange brikker. "La oss tenke nøye gjennom og arbeide sammen," sier Leo, laglederen. De begynner å løse puslespillet, prøver å få brikkene til å passe sammen.

Halvveis blir de fast. "Vi må finne den manglende brikken," sier Mia, og ser seg rundt. Etter et øyeblikk med ettertanke, finner de ledetråden som fører dem til løsningen.

Til slutt er deres lag det første til å fullføre puslespillet. "Flott jobbet, alle sammen! Samarbeidet og logikken deres var imponerende," roser fru Clark dem.

Puslespillutfordringen var ikke bare et spill, men en lekse i å jobbe sammen og løse problemer.

Vocabulary

Puzzle	*Puslespill*
Challenge	*Utfordring*
Solve	*Løse*
Piece	*Brikke*
Think	*Tenke*
Brain	*Hjerne*
Game	*Spill*
Clue	*Ledetråd*
Mystery	*Mysterium*
Team	*Lag*
Logic	*Logikk*
Answer	*Svar*
Question	*Spørsmål*
Riddle	*Gåte*
Compete	*Konkurrere*

Questions About the Story

1. ***Who announces the puzzle challenge in school?***

    a) Mr. Lee
    b) Mrs. Clark
    c) Mia

2. ***What is Leo's role in the team?***

    a) The team leader
    b) The class president
    c) The puzzle master

3. ***What does Mia say when the team gets stuck?***

    a) "Let's give up."
    b) "We need to find the missing piece."
    c) "This is too hard."

4. ***What was the key to completing the puzzle?***

    a) Cheating
    b) Asking the teacher for help
    c) Finding a missing piece

5. ***How did Mrs. Clark praise the team?***

    a) "Your teamwork and logic were impressive."
    b) "You should have done better."
    c) "You were the slowest."

Correct Answers:

1. b) Mrs. Clark
2. a) The team leader
3. b) "We need to find the missing piece."
4. c) Finding a missing piece
5. a) "Your teamwork and logic were impressive."

- Chapter Fifty-Two -

A CAMPING MYSTERY

Et Campingmysterium

Under en campingtur hører Mike og vennene hans merkelige lyder om natten. "Hørte du det?" spør Mike, mens de sitter rundt bålet.

Nysgjerrige bestemmer de seg for å undersøke med lommelyktene sine. "Det høres ut som det kommer fra den retningen," sier Sara, og peker mot den mørke skogen.

Når de følger etter lyden, finner de spor på bakken. "Disse ser ut som dyrespor," observerer Mike. Mysteriet blir dypere.

Plutselig ser de en skygge som beveger seg. De forbereder seg på noe skummelt, men oppdager at det bare er en bortkommen hund. "Han må lage lydene," sier Sara, lettet.

De returnerer til teltet sitt, og tar med seg hunden. "Denne campingturen ble til et uventet eventyr," sier Mike, mens de alle ler og nyter resten av natten trygt ved bålet.

Vocabulary

Camping	*Camping*
Mystery	*Mysterium*
Tent	*Telt*
Night	*Natt*
Forest	*Skog*
Flashlight	*Lommelykt*
Noise	*Lyd*
Fire	*Bål*
Scary	*Skummelt*
Track	*Spor*
Dark	*Mørk*
Campfire	*Leirbål*
Investigate	*Undersøke*
Shadow	*Skygge*
Scream	*Skrik*

Questions About the Story

1. ***What do Mike and his friends hear at night during their camping trip?***

   a) Strange noises
   b) Music
   c) Thunder

2. ***What do Mike and his friends use to investigate the strange noises?***

   a) Flashlights
   b) Mobile phones
   c) Lanterns

3. ***Where do the strange noises seem to be coming from?***

   a) The lake
   b) Another campsite
   c) The dark forest

4. ***What do Mike and his friends find on the ground that adds to the mystery?***

   a) A map
   b) Animal tracks
   c) A lost item

5. ***What do Mike and his friends discover as the source of the noises?***

   a) A ghost
   b) A lost dog
   c) An owl

Correct Answers:

1. a) Strange noises
2. a) Flashlights
3. c) The dark forest
4. b) Animal tracks
5. b) A lost dog

- Chapter Fifty-Three -

DISCOVERING A NEW HOBBY

Oppdagelsen av en ny hobby

Emma følte seg lei av sin vanlige helgerutine. En dag bestemte hun seg for å utforske noe nytt for å vekke interessen sin. "Jeg trenger en hobby," tenkte hun for seg selv.

Hun startet med å male, i forsøk på å skape enkle kunstverk. Selv om hennes første forsøk ikke var perfekte, nøt hun prosessen enormt. "Dette er gøy," innså Emma, mens hun blandet farger og så ideene sine komme til liv på lerretet.

Deretter prøvde Emma seg på håndarbeid. Hun fant glede i å lage små, dekorative gjenstander til hjemmet sitt. Hvert ferdig prosjekt ga henne en følelse av mestring.

Nysgjerrigheten hennes vokste, og førte henne til å utforske fotografering. Emma tilbrakte timer med å fange skjønnheten i naturen med kameraet sitt. "Det er så mye å se og lære," undret hun seg, mens hun gjennomgikk bildene sine.

Emmas reise til å oppdage nye hobbyer brakte henne ikke bare spenning, men også nye ferdigheter og en dypere verdsettelse for kreativitet. "Jeg er glad for at jeg bestemte meg for å prøve noe annerledes," reflekterte hun, og planla sitt neste hobbyeventyr.

Vocabulary

Hobby	*Hobby*
Discover	*Oppdage*
Interest	*Interesse*
Learn	*Lære*
Practice	*Øve*
Skill	*Ferdighet*
Fun	*Gøy*
Activity	*Aktivitet*
Craft	*Håndarbeid*
Paint	*Male*
Collection	*Samling*
Music	*Musikk*
Book	*Bok*
Photography	*Fotografering*
Drawing	*Tegning*

Questions About the Story

1. ***What motivates Emma to find a new hobby?***

    a) She felt bored with her usual weekend routine
    b) She wanted to join her friends
    c) She needed to complete a school project

2. ***Which of the following is NOT a hobby that Emma tried?***

    a) Painting
    b) Photography
    c) Gardening

3. ***How does Emma feel about her first attempts at painting?***

    a) Disappointed
    b) Indifferent
    c) Enjoyed the process immensely

4. ***What realization does Emma have while engaging in her new hobbies?***

    a) She prefers outdoor activities
    b) She enjoys the process of learning and creating
    c) She wants to become a professional artist

5. ***Which hobby did Emma explore last?***

    a) Painting
    b) Crafting
    c) Photography

Correct Answers:

1. a) She felt bored with her usual weekend routine
2. c) Gardening
3. c) Enjoyed the process immensely
4. b) She enjoys the process of learning and creating
5. c) Photography

- Chapter Fifty-Four -

THE FRIENDLY COMPETITION

Den Vennlige Konkurransen

På skolen var den årlige idrettsdagen en begivenhet full av spenning og vennlig konkurranse. Alex og Jamie, to gode venner, meldte seg på stafettløpet.

"Måtte det beste laget vinne," sa de til hverandre med et smil, og håndhilste før løpet. Lagene deres var klare, og atmosfæren var elektrisk av forventning.

Da løpet startet, fyltes luften med jubel. Alex og Jamie løp av all deres makt, og sendte stafettpinnen smidig til lagkameratene sine. Konkurransen var jevn, men til slutt vant Alex sitt lag med en brøkdel av et sekund.

Til tross for tapet, var ikke Jamie opprørt. "Det var et flott løp," gratulerte Jamie Alex, "Laget ditt var fantastisk i dag!"

De var begge enige om at det var gøy å vinne, men det å delta og nyte spillet med venner var det som virkelig betydde noe. Deres vennskap forble sterkt, bundet av ånden av sunn konkurranse.

Vocabulary

Competition	*Konkurranse*
Friendly	*Vennlig*
Win	*Vinne*
Lose	*Tape*
Prize	*Premie*
Race	*Løp*
Team	*Lag*
Sport	*Idrett*
Play	*Spille*
Challenge	*Utfordring*
Score	*Poeng*
Match	*Kamp*
Fun	*Moro*
Opponent	*Motstander*
Cheer	*Heie*

Questions About the Story

1. ***What event brings Alex and Jamie to compete?***

    a) A science fair
    b) A relay race
    c) A chess tournament

2. ***What was Alex and Jamie's attitude before the race?***

    a) Competitive
    b) Indifferent
    c) Supportive

3. ***How did Alex and Jamie prepare for the race?***

    a) By studying
    b) By training
    c) By strategizing with their team

4. ***What was the outcome of the relay race?***

    a) Jamie's team won
    b) Alex's team won
    c) It was a tie

5. ***How did Jamie react to losing the race?***

    a) With disappointment
    b) With joy
    c) With sportsmanship

Correct Answers:

1. b) A relay race
2. c) Supportive
3. c) By strategizing with their team
4. b) Alex's team won
5. c) With sportsmanship

- Chapter Fifty-Five -

A VISIT TO THE GRAND CANYON

Et Besøk til Grand Canyon

Lucas hadde alltid drømt om å se Grand Canyon. En sommer gjorde han endelig turen. "Dette kommer til å bli et eventyr," tenkte han, mens han pakket sekken sin.

Da han stod på kanten av canyonen, var Lucas i ærefrykt over det enorme landskapet foran ham. Utsikten over den dype canyonen, med sine lag av fargerike bergarter, tok pusten fra ham. "Det er vakrere enn jeg forestilte meg," hvisket han til seg selv.

Han tilbrakte dagen med å vandre langs stiene, forbløffet over de fantastiske utsiktene og den rolige skjønnheten i naturen. Lucas tok mange bilder, i et forsøk på å fange storheten til canyonen.

Ved soloppgang så han hvordan canyonen sakte ble opplyst av morgenlyset, og skapte et blendende syn. "Dette øyeblikket gjør hele turen verdt det," følte Lucas en dyp forbindelse med naturen.

Hans besøk til Grand Canyon var ikke bare et punkt å krysse av på bøtte listen, men en minneverdig opplevelse som fordypet hans verdsettelse for den naturlige verden.

Vocabulary

Canyon	*Canyon*
Grand	*Grand*
Nature	*Natur*
Hike	*Vandring*
View	*Utsikt*
Rock	*Bergart*
River	*Elv*
Park	*Park*
Explore	*Utforske*
Trail	*Sti*
Landscape	*Landskap*
Adventure	*Eventyr*
Guide	*Guide*
Cliff	*Klippe*
Sunrise	*Soloppgang*

Questions About the Story

1. ***What inspired Lucas to make the trip?***

    a) A documentary
    b) A friend's suggestion
    c) A lifelong dream

2. ***What was Lucas's reaction upon seeing the Grand Canyon?***

    a) He was slightly disappointed
    b) He was in awe
    c) He was indifferent

3. ***What did Lucas do to try and capture the beauty of the Grand Canyon?***

    a) He wrote a poem
    b) He took many photos
    c) He painted a picture

4. ***What time of day did Lucas find most breathtaking at the Grand Canyon?***

    a) Sunset
    b) Midday
    c) Sunrise

5. ***How did Lucas feel about his trip to the Grand Canyon?***

    a) It was just another trip
    b) It was a disappointment
    c) It was a memorable experience

Correct Answers:

1. c) A lifelong dream
2. b) He was in awe
3. b) He took many photos
4. c) Sunrise
5. c) It was a memorable experience

- Chapter Fifty-Six -

THE HOMEMADE GIFT

Den Hjemmelagde Gaven

Til Annas bursdag bestemte vennen Maria seg for å lage en hjemmelaget gave. Maria tenkte, "Jeg vil skape noe spesielt for Anna."

Maria elsket å lage ting, så hun valgte å male en liten boks og sy en liten pose. Hun strikket et fargerikt skjerf, designet med Anna i tankene. "Anna vil elske disse," smilte Maria, og forestilte seg vennens overraskelse.

Etter å ha fullført håndarbeidet, pakket Maria nøye inn gavene. Hun brukte et lyst bånd for å binde pakken sammen og la til et håndlaget kort, hvor hun skrev, "Med kjærlighet og omtanke."

Da Anna åpnet gaven sin, lyste øynene hennes opp av glede. "Dette er så spesielt! Takk, Maria," utbrøt hun, og ga vennen sin en klem. Marias gjennomtenkte hjemmelagde gave gjorde Annas bursdag uforglemmelig.

Vocabulary

Gift	*Gave*
Homemade	*Hjemmelaget*
Craft	*Håndarbeid*
Surprise	*Overraskelse*
Create	*Skape*
Paint	*Male*
Sew	*Sy*
Knit	*Strikke*
Design	*Designe*
Special	*Spesiell*
Card	*Kort*
Wrap	*Pakke inn*
Ribbon	*Bånd*
Love	*Kjærlighet*
Thoughtful	*Gjennomtenkt*

Questions About the Story

1. ***What occasion is being celebrated in the story?***

    a) Maria's birthday
    b) Anna's birthday
    c) A holiday

2. ***What type of gift does Maria decide to give Anna?***

    a) Store-bought jewelry
    b) Homemade crafts
    c) A book

3. ***Which of the following items did Maria NOT craft for Anna?***

    a) A painted box
    b) A sewn pouch
    c) A ceramic vase

4. ***How did Maria wrap the gift?***

    a) In a plain box
    b) With newspaper
    c) With bright ribbon and a handmade card

5. ***What was Maria's intention behind creating the gift?***

    a) To save money
    b) To create something special for Anna
    c) Because she forgot to buy a gift

Correct Answers:

1. b) Anna's birthday
2. b) Homemade crafts
3. c) A ceramic vase
4. c) With bright ribbon and a handmade card
5. b) To create something special for Anna

- Chapter Fifty-Seven -

A SPECIAL DAY OUT

En Spesiell Dag Ute

Liam og familien hans bestemte seg for å tilbringe en dag i fornøyelsesparken. "Dette kommer til å bli så gøy!" utbrøt Liam, mens han holdt billetten sin stramt.

Deres første stopp var berg-og-dal-banen. Liam følte en blanding av spenning og nervøsitet mens de sto i kø. "Her går vi!" ropte han idet berg-og-dal-banen suste av gårde.

Gjennom dagen prøvde de forskjellige attraksjoner, lo og nøt iskrem. Liams favorittdel var trylleshowet, hvor han ble valgt ut til å assistere på scenen. "Det var fantastisk!" sa han, fortsatt oppspilt.

De avsluttet dagen med trøtte smil, og bar med seg suvenirer og minner om en fantastisk dag ute. "Kan vi komme tilbake snart?" spurte Liam, allerede ivrig etter deres neste besøk.

Vocabulary

Outing	*Utflukt*
Amusement park	*Fornøyelsespark*
Roller coaster	*Berg-og-dal-bane*
Ticket	*Billett*
Fun	*Moro*
Laugh	*Le*
Ice cream	*Iskrem*
Queue	*Kø*
Ride	*Attraksjon*
Souvenir	*Suvenir*
Map	*Kart*
Show	*Show*
Snack	*Snacks*
Excited	*Oppspilt*
Tired	*Trøtt*

Questions About the Story

1. ***Where did Liam and his family spend their day?***

   a) At the beach
   b) In a museum
   c) At the amusement park

2. ***What was Liam's reaction before the roller coaster ride?***

   a) Terrified
   b) Excited and nervous
   c) Bored

3. ***What did Liam and his family do throughout the day?***

   a) Went hiking
   b) Visited different rides and enjoyed ice cream
   c) Played sports

4. ***What was Liam's favorite part of the day?***

   a) Eating ice cream
   b) The roller coaster
   c) The magic show

5. ***How did Liam participate in the magic show?***

   a) By watching
   b) By clapping
   c) By assisting on stage

Correct Answers:

1. c) At the amusement park
2. b) Excited and nervous
3. b) Visited different rides and enjoyed ice cream
4. c) The magic show
5. c) By assisting on stage

- Chapter Fifty-Eight -

THE NEW CLUB

THE
NEW
CLUB

Den Nye Klubben

Elena hørte om en ny fotoklubb på skolen og var ivrig etter å bli med. "Dette kan bli virkelig interessant," tenkte hun, og planla å delta på det første møtet.

På møtet møtte Elena andre elever som delte hennes interesse for fotografering. Klubblederen diskuterte ulike aktiviteter og prosjekter de kunne ta på seg. "Jeg har så mange ideer," delte Elena entusiastisk med gruppen.

Sammen planla de sitt første arrangement, en fotovandring i parken i helgen. "Det blir flott å lære av hverandre," innså Elena, og følte seg velkommen og inspirert.

Å være en del av fotoklubben hjalp ikke bare Elena med å få nye venner, men også å forbedre hennes fotograferingsferdigheter. Hun var glad for å ha funnet en gruppe hvor hun kunne forfølge sin lidenskap og bidra med sine ideer.

Vocabulary

Club	*Klubb*
Member	*Medlem*
Meeting	*Møte*
Activity	*Aktivitet*
Join	*Bli med*
Interest	*Interesse*
Group	*Gruppe*
Weekly	*Ukentlig*
Event	*Arrangement*
Organize	*Organisere*
Leader	*Leder*
Idea	*Ide*
Discuss	*Diskutere*
Plan	*Plan*
Welcome	*Velkommen*

Questions About the Story

1. ***Why was Elena eager to join the new photography club at school?***

    a) To meet the club leader
    b) To improve her photography skills
    c) Because she was interested in photography

2. ***What did Elena and the other club members plan as their first event?***

    a) A photo exhibition
    b) A weekend photo walk in the park
    c) A photography competition

3. ***What was Elena's reaction to meeting other students at the photography club?***

    a) She was intimidated
    b) She was excited and shared many ideas
    c) She decided to leave the club

4. ***How did joining the photography club benefit Elena?***

    a) She became the club leader
    b) She made new friends and improved her photography skills
    c) She won a photography award

5. ***What was discussed in the first photography club meeting?***

    a) The club's budget
    b) Club uniforms
    c) Various activities and projects

Correct Answers:

1. c) Because she was interested in photography
2. b) A weekend photo walk in the park
3. b) She was excited and shared many ideas
4. b) She made new friends and improved her photography skills
5. c) Various activities and projects

- Chapter Fifty-Nine -

THE COMMUNITY GARDEN

Felleshagen

I en liten by fantes det en vakker felleshage hvor alle kunne plante grønnsaker og blomster. En solrik dag bestemte Sarah seg for å frivillig arbeide i hagen.

"Først skal jeg plante noen frø," tenkte Sarah, mens hun gravde i jorden. Hun plantet gulrøtter og tomater, og vannet dem forsiktig. I nærheten blomstret fargerike blomster, som tiltrakk seg sommerfugler og fugler, og gjorde hagen full av liv.

Etter hvert som ukene gikk, så Sarah plantene sine vokse. Hun lærte å fjerne ugress og bruke kompost for å gjøre jorden rikere. "Se på alle disse grønnsakene og blomstene jeg har hjulpet til å vokse," sa hun stolt.

Da høsttiden kom, samlet Sarah og andre frivillige avlingene sine. De hadde dyrket mange grønne grønnsaker og vakre blomster. "Denne hagen bringer samfunnet vårt sammen," smilte Sarah, og følte seg forbundet med naturen og naboene sine.

Vocabulary

Garden	*Hage*
Plant	*Plante*
Vegetable	*Grønnsak*
Flower	*Blomst*
Community	*Samfunn*
Grow	*Vokse*
Soil	*Jord*
Water	*Vanne*
Harvest	*Høste*
Seed	*Frø*
Green	*Grønn*
Nature	*Natur*
Volunteer	*Frivillig*
Compost	*Kompost*
Weed	*Ugress*

Questions About the Story

1. ***What did Sarah decide to volunteer for?***

    a) A community service project
    b) A local farm
    c) A community garden

2. ***What type of seeds did Sarah plant?***

    a) Corn and peas
    b) Carrots and tomatoes
    c) Sunflowers and roses

3. ***What attracted birds and butterflies to the garden?***

    a) The pond
    b) The colorful flowers
    c) The fruit trees

4. ***What did Sarah learn to do in the garden?***

    a) Climb trees
    b) Remove weeds and use compost
    c) Make flower arrangements

5. ***What was the result of Sarah and the volunteers' work?***

    a) The garden was closed
    b) They opened a new garden
    c) A lot of vegetables and flowers grew

Correct Answers:

1. c) A community garden
2. b) Carrots and tomatoes
3. b) The colorful flowers
4. b) Remove weeds and use compost
5. c) A lot of vegetables and flowers grew

- Chapter Sixty -

THE SCHOOL NEWSPAPER

Skoleavisen

Tom var redaktør for skoleavisen sin. Han var alltid på utkikk etter spennende nyheter og historier. "Denne måneden skal vi ha intervjuer med våre nye lærere," bestemte Tom.

Han og teamet hans jobbet hardt med å skrive artikler, gjennomføre intervjuer og ta fotografier. "Vi må sørge for at alt er klart før fristen," minnet Tom alle på.

Den dagen avisen ble publisert, følte Tom seg stolt. Studenter og lærere leste arbeidet deres. "Din rapport om vitenskapsmessen var virkelig interessant," fortalte en lærer ham.

Å være en del av avislaget lærte Tom og vennene hans viktigheten av samarbeid og kommunikasjon. De var glade for å tilby nyheter og meninger til skolesamfunnet sitt.

Vocabulary

Newspaper	*Avis*
Article	*Artikkel*
Editor	*Redaktør*
Interview	*Intervju*
Publish	*Publisere*
Report	*Rapport*
News	*Nyheter*
Deadline	*Frist*
Write	*Skrive*
Column	*Spalte*
Review	*Anmeldelse*
Photograph	*Fotografi*
Issue	*Utgave*
Investigate	*Undersøke*
Opinion	*Mening*

Questions About the Story

1. ***What role did Tom have in the school newspaper?***

   a) Writer
   b) Photographer
   c) Editor

2. ***What did Tom's team plan to feature in the newspaper this month?***

   a) Sports events
   b) Interviews with new teachers
   c) Movie reviews

3. ***What was Tom's reminder to his team about?***

   a) To interview more teachers
   b) To make sure everything is ready before the deadline
   c) To take more photographs

4. ***How did Tom feel on the day the newspaper was published?***

   a) Disappointed
   b) Nervous
   c) Proud

5. ***What feedback did Tom receive from a teacher?***

   a) The layout needed improvement
   b) The articles were too short
   c) The report on the science fair was interesting

Correct Answers:

1. c) Editor
2. b) Interviews with new teachers
3. b) To make sure everything is ready before the deadline
4. c) Proud
5. c) The report on the science fair was interesting

- Chapter Sixty-One -

THE TIME CAPSULE

Miljøprosjektet

Mr. Smiths klasse bestemte seg for å starte et miljøprosjekt. "Vi må ta vare på planeten vår," sa han til studentene sine. De ble alle enige om å fokusere på resirkulering og rengjøring av den lokale parken.

Studentene samlet avfall, sorterte det for resirkulering og plantet nye trær. "Hver lille bit hjelper," forklarte Mr. Smith mens de jobbet sammen for å rydde opp. De laget også skilt for å oppfordre andre til å holde parken ren og å resirkulere.

Ved slutten av prosjektet så parken bedre ut enn noen gang. Studentene var stolte av arbeidet sitt. "Vi har virkelig gjort en forskjell," sa de. De startet en kampanje på skolen for å øke bevisstheten om viktigheten av å resirkulere og spare energi.

Prosjektet viste alle at ved å jobbe sammen, kunne de gjøre samfunnet grønnere og renere. De lærte at selv små handlinger kunne ha stor innvirkning på miljøet.

Vocabulary

Environment	*Miljø*
Project	*Prosjekt*
Recycle	*Resirkulere*
Clean	*Rengjøre*
Pollution	*Forurensning*
Plant	*Plante*
Earth	*Jord*
Conservation	*Bevaring*
Waste	*Avfall*
Green	*Grønn*
Energy	*Energi*
Save	*Spare*
Nature	*Natur*
Campaign	*Kampanje*
Awareness	*Bevissthet*

Questions About the Story

1. ***What was the main focus of Mr. Smith's class's environmental project?***

   a) Planting flowers
   b) Cleaning a local park and focusing on recycling
   c) Building birdhouses

2. ***What did Mr. Smith tell his students about the importance of the project?***

   a) "We need to take care of our planet."
   b) "This is just for a grade."
   c) "It's too late to make a difference."

3. ***What actions did the students take during their environmental project?***

   a) They only planted trees
   b) They gathered waste, separated it for recycling, and planted new trees
   c) They watched documentaries on recycling

4. ***What did the students start in their school after the project?***

   a) A dance club
   b) A campaign to raise awareness about recycling and conserving energy
   c) A cooking class

Correct Answers:

1. b) Cleaning a local park and focusing on recycling
2. a) "We need to take care of our planet."
3. b) They gathered waste, separated it for recycling, and planted new trees
4. b) A campaign to raise awareness about recycling and conserving energy

- Chapter Sixty-Four -

A DAY AT THE AQUARIUM

En Dag på Akvariet

Anna og broren hennes Tom besøkte akvariet på en solfylt lørdag. "Jeg gleder meg til å se haiene og delfinene," sa Tom spent da de gikk inn.

De startet turen ved det store akvariet hvor fargerike fisker svømte blant korallene. "Se på den enorme haien!" pekte Anna. De så i ærefrykt mens haien gli gjennom vannet.

Neste stopp var et delfinshow. Delfinene hoppet og utførte triks, noe som fikk alle til å klappe og juble. "Delfiner er så intelligente," sa Tom, imponert.

De lærte mye fra guiden, som fortalte dem om marint liv og hvordan beskytte havet og dets skapninger. Anna og Tom så mange utstillinger, inkludert en med maneter som lyste i mørket.

"Det var en fantastisk dag," sa Anna da de dro. "Jeg lærte så mye og så så mange vakre fisk." De lovet å komme tilbake snart, ivrige etter å lære mer om undervannsverdenen.

Vocabulary

Aquarium	*Akvarium*
Fish	*Fisk*
Shark	*Hai*
Tank	*Akvarium*
Coral	*Korall*
Marine	*Marin*
Dolphin	*Delfin*
Exhibit	*Utstilling*
Sea	*Hav*
Tour	*Omvisning*
Water	*Vann*
Creature	*Skapning*
Guide	*Guide*
Learn	*Lære*
Jellyfish	*Manet*

Questions About the Story

1. ***What activity did Anna and her brother Tom decide to do on a sunny Saturday?***

    a) Visit the zoo
    b) Go to the aquarium
    c) Attend a concert

2. ***What were Tom's feelings about seeing sharks and dolphins at the aquarium?***

    a) Indifferent
    b) Scared
    c) Excited

3. ***Which exhibit did Anna and Tom start their tour with at the aquarium?***

    a) Dolphin show
    b) Jellyfish exhibit
    c) Shark tank

4. ***What did Tom find impressive at the aquarium?***

    a) The size of the sharks
    b) The intelligence of dolphins
    c) The color of the coral

5. ***What did Anna and Tom do at sunrise at the aquarium?***

    a) Witnessed the canyon's illumination
    b) Took photographs
    c) Watched a dolphin show

Correct Answers:

1. b) Go to the aquarium
2. c) Excited
3. c) Shark tank
4. b) The intelligence of dolphins
5. a) Witnessed the canyon's illumination

- Chapter Sixty-Five -

THE COSTUME PARTY

BALL BOX

Kostymefesten

Emily gledet seg. Hun skulle arrangere en kostymefest med eventyrtema. "Jeg kan ikke vente med å se alles kostymer," tenkte hun mens hun dekorerte huset sitt med fargerike lys og masker.

På festkvelden ankom vennene utkledd som ulike eventyrfigurer. Emily hadde på seg en vakker prinsessekjole, og vennen Max kom som en ridder. Musikk fylte rommet, og de danset og lo sammen.

Det var en konkurranse for beste kostyme. Alle stemte, og Max vant prisen for sitt kreative ridderkostyme. De spilte spill, spiste snacks, og rommet var fylt med glede og latter.

"Det er den beste festen noensinne!" var alle enige. Kostymefesten var en suksess, og Emily var glad for å se vennene sine ha det så gøy.

Vocabulary

Costume	*Kostyme*
Party	*Fest*
Dress up	*Kle seg ut*
Theme	*Tema*
Mask	*Maske*
Dance	*Danse*
Music	*Musikk*
Prize	*Premie*
Character	*Figur*
Fun	*Moro*
Invite	*Invitere*
Decorate	*Dekorere*
Snack	*Snacks*
Game	*Spill*
Laugh	*Le*

Questions About the Story

1. ***What was the theme of Emily's costume party?***

    a) Pirate Adventure
    b) Fairy Tale
    c) Superheroes

2. ***What costume did Emily wear to the party?***

    a) A pirate
    b) A fairy
    c) A princess

3. ***Who won the best costume contest at the party?***

    a) Emily
    b) Max
    c) Sarah

4. ***What did Max dress up as for the costume party?***

    a) A wizard
    b) A knight
    c) A dragon

5. ***What activities did guests enjoy at the costume party?***

    a) Dancing and playing games
    b) Watching a movie
    c) Swimming

Correct Answers:

1. b) Fairy Tale
2. c) A princess
3. b) Max
4. b) A knight
5. a) Dancing and playing games

- Chapter Sixty-Six -

THE OLD MAP

Det Gamle Kartet

Jack fant et gammelt kart på bestefarens loft. "Dette ser ut som et skattekart," utbrøt han. Kartet ledet til en skjult skatt på en fjern øy, markert med et 'X'.

Iverig etter eventyr, tok Jack med seg kompasset, det gamle kartet, og satte seil. Reisen var fylt med spenning og utfordringer. Han navigerte gjennom røffe hav og utforsket ukjente stier.

Følgende ledetrådene på kartet, søkte Jack på øya. Etter timer med leting, fant han 'X' nær et gammelt tre. Han gravde og oppdaget en kiste full av gull og juveler.

"Dette er det største eventyret i mitt liv," sa Jack, forundret over sitt funn. Det gamle kartet hadde ledet ham til en ekte skatt, akkurat som i legendene.

Vocabulary

Map	*Kart*
Treasure	*Skatt*
Explore	*Utforske*
Compass	*Kompass*
Adventure	*Eventyr*
Island	*Øy*
X (marks the spot)	*X (markerer stedet)*
Search	*Søke*
Find	*Finne*
Clue	*Ledetråd*
Journey	*Reise*
Old	*Gammel*
Legend	*Legende*
Path	*Sti*
Discover	*Oppdage*

Questions About the Story

1. ***Where did Jack find the old map?***

   a) In his grandfather's attic
   b) In a library book
   c) Buried in his backyard

2. ***What did Jack believe the old map led to?***

   a) A hidden treasure
   b) A secret cave
   c) An ancient ruin

3. ***Where was the treasure hidden according to the map?***

   a) Under a bridge
   b) Inside a cave
   c) On a distant island

4. ***What did Jack use to navigate to the treasure?***

   a) A GPS device
   b) Stars
   c) A compass

5. ***What challenge did Jack face on his journey?***

   a) Rough seas
   b) Desert crossing
   c) Mountain climbing

Correct Answers:

1. a) In his grandfather's attic
2. a) A hidden treasure
3. c) On a distant island
4. c) A compass
5. a) Rough seas

- Chapter Sixty-Seven -

A SPACE ADVENTURE

Et Romeventyr

Lucy drømte om å utforske verdensrommet. En dag ble hun astronaut og ble valgt for en misjon til Mars. "Jeg er klar for dette romeventyret," sa hun, mens hun gikk om bord i raketten.

Da raketten ble skutt opp, følte Lucy spenningen av å forlate jordens tyngdekraft. Hun så stjerner, planeter og galaksens uendelighet gjennom romfergens vinduer.

Misjonen involverte å gå i bane rundt Mars, samle data og se etter tegn på liv. Lucy og teamet hennes oppdaget en merkelig, glødende stein som ikke var fra Mars. "Kan det være fra romvesener?" undret de.

Etter å ha fullført misjonen, returnerte de til jorden som helter. Lucys romeventyr var mer spennende enn hun noen gang hadde forestilt seg, noe som gjorde henne ivrig etter neste reise blant stjernene.

Vocabulary

Space	*Rom*
Rocket	*Rakett*
Planet	*Planet*
Star	*Stjerne*
Astronaut	*Astronaut*
Orbit	*Bane*
Galaxy	*Galakse*
Moon	*Måne*
Alien	*Romvesen*
Shuttle	*Romferge*
Universe	*Univers*
Mission	*Misjon*
Telescope	*Teleskop*
Launch	*Oppskyting*
Gravity	*Tyngdekraft*

Questions About the Story

1. ***What was Lucy's dream that came true?***

   a) Becoming a teacher
   b) Exploring the ocean
   c) Exploring space

2. ***What planet was Lucy's mission focused on?***

   a) Mars
   b) Venus
   c) Jupiter

3. ***What did Lucy and her team discover on their mission?***

   a) A strange, glowing rock
   b) A new form of life
   c) Water

4. ***How did Lucy feel during the rocket launch?***

   a) Scared
   b) Thrilled
   c) Sick

5. ***What was the purpose of Lucy's mission to Mars?***

   a) To plant a flag
   b) To orbit Mars and collect data
   c) To meet aliens

Correct Answers:

1. c) Exploring space
2. a) Mars
3. a) A strange, glowing rock
4. b) Thrilled
5. b) To orbit Mars and collect data

- Chapter Sixty-Eight -

THE LOST CITY

Den Tapte Byen

Anna, en arkeolog, hadde alltid vært fascinert av legenden om en tapt by gjemt dypt i jungelen. En dag fant hun et gammelt kart i en gammel bok, som markerte plasseringen av ruinene. "Dette kan være det," tenkte hun, hjertet hennes banket av spenning.

Sammen med teamet sitt dro Anna ut på en ekspedisjon. De vandret gjennom den tette jungelen, guidet av kartet. Etter dager med søking, snublet de over gamle ruiner dekket av tykke lianer.

"Det er den tapte byen!" utbrøt Anna. De utforsket ruinene og fant artefakter og et storslått tempel. Hvert funn var et spor for å forstå sivilisasjonen som en gang hadde blomstret der.

Da de avdekket fortidens hemmeligheter, innså Anna at de hadde løst et mysterium som hadde forvirret arkeologer i århundrer. Den tapte byen var ikke lenger en legende, men et bemerkelsesverdig funn som kastet lys over en gammel sivilisasjon.

Vocabulary

City	*By*
Lost	*Tapt*
Ruins	*Ruiner*
Ancient	*Gammel*
Explore	*Utforske*
Mystery	*Mysterium*
Expedition	*Ekspedisjon*
Map	*Kart*
Jungle	*Jungel*
Discover	*Oppdage*
Artifact	*Artefakt*
Legend	*Legende*
Archaeologist	*Arkeolog*
Temple	*Tempel*
Civilization	*Sivilisasjon*

Questions About the Story

1. ***What inspired Anna to embark on her expedition?***

    a) A documentary
    b) A dream
    c) An ancient map

2. ***Where was the lost city located?***

    a) In the desert
    b) Deep in the jungle
    c) Under the sea

3. ***What did Anna and her team find in the ruins?***

    a) Gold coins
    b) A treasure chest
    c) Artifacts and a grand temple

4. ***How did Anna feel when she first saw the ruins?***

    a) Terrified
    b) Excited
    c) Disappointed

5. ***What did the expedition team use to guide them through the jungle?***

    a) The stars
    b) A compass
    c) An ancient map

Correct Answers:

1. c) An ancient map
2. b) Deep in the jungle
3. c) Artifacts and a grand temple
4. b) Excited
5. c) An ancient map

- Chapter Sixty-Nine -

THE MAGIC POTION

Den Magiske Drikken

Elena, en ung heks, var fast bestemt på å brygge en magisk drikk som kunne helbrede enhver sykdom. Hun hadde funnet en oppskrift i en gammel trolldomsbok, men trengte sjeldne ingredienser. Oppskriften var en hemmelighet som hadde blitt overlevert gjennom generasjoner av hekser, et vitnesbyrd om kraften i deres mystiske håndverk.

Med gryten klar, dro Elena ut for å samle ingrediensene fra den fortryllede skogen. Hun fant magiske urter, forhekset vann og den sjeldne måneblomsten, som kun blomstrer under en fullmåne. Disse ingrediensene hadde kraften til å forvandle helse og lege de syke.

Tilbake i hytten sin blandet Elena forsiktig ingrediensene mens hun freste trolldommen. "La denne drikken bringe helbredelse," hvisket hun mens drikken boblet og sendte ut et mykt skinn. Luften var fylt med en mystisk energi mens drikken begynte å forvandle seg foran øynene hennes.

Da hun endelig tappet den magiske drikken på flaske, visste Elena at hun hadde skapt noe spesielt. Hun delte den med de som trengte det, og drikken virket underverker, noe som ga henne takknemlighet fra mange. Hemmeligheten med oppskriften på drikken ble en legende, og inspirerte fremtidige generasjoner.

Elenas magiske drikk var et vitnesbyrd om hennes dyktighet og hjerte, og beviste at med besluttsomhet, et snev av magi og de rette fortryllelsene, kunne man gjøre verden til et bedre sted.

Vocabulary

Potion	*Drikk*
Magic	*Magi*
Witch	*Heks*
Spell	*Trolldom*
Brew	*Brygge*
Cauldron	*Gryte*
Ingredient	*Ingrediens*
Enchant	*Forhekse*
Bottle	*Flaske*
Secret	*Hemmelighet*
Recipe	*Oppskrift*
Transform	*Forvandle*
Power	*Kraft*
Mystical	*Mystisk*
Heal	*Helbrede*

Questions About the Story

1. ***What was Elena determined to brew?***

   a) A love potion
   b) A magic potion to heal illnesses
   c) A potion for eternal youth

2. ***Where did Elena find the recipe for the magic potion?***

   a) In an ancient spell book
   b) From a friend
   c) Online

3. ***What was unique about the moonflower?***

   a) It glowed in the dark
   b) It was poisonous
   c) It only bloomed under a full moon

4. ***What did Elena chant while mixing the potion?***

   a) A song of joy
   b) A traditional witch's hymn
   c) "Let this potion bring healing"

5. ***What effect did the magic potion have?***

   a) It caused laughter
   b) It healed illnesses
   c) It turned things invisible

Correct Answers:

1. b) A magic potion to heal illnesses
2. a) In an ancient spell book
3. c) It only bloomed under a full moon
4. c) "Let this potion bring healing"
5. b) It healed illnesses

CONCLUSION

Congratulations on completing "69 Short Norwegian Stories for Beginners." You've embarked on a remarkable journey through the Norwegian language, guided by a collection of stories that transcend cultural and geographical boundaries, designed to universally appeal and engage your curiosity and imagination.

Your dedication to learning and expanding your Norwegian vocabulary through these tales reflects a commendable commitment to linguistic growth. These stories, carefully curated to cater to beginners, have provided you with a foundation in understanding and using Norwegian in a variety of contexts, equipping you with the skills necessary for everyday communication and beyond.

Embarking on the path of language learning is a journey of endless discovery, not just about the language itself but about the possibilities it unlocks. It is a bridge to new ways of thinking, a tool for connecting with others, and a means to explore the vast world of literature and communication.

I am eager to hear about your experiences and the adventures these stories have taken you on. Please share your journey with me on Instagram: **@adriangruszka**. Your progress, challenges, and insights are a source of inspiration and celebration. If this book has sparked joy in your language learning process, feel free to mention it on social media and tag me. Your feedback and stories are incredibly valuable.

For additional resources, deeper insights, and updates, visit **www.adriangee.com**. Here, you'll find a supportive community of fellow language learners and enthusiasts, as well as materials to further aid your exploration of the Norwegian language.

- *Adrian Gee*

CONTINUE YOUR LANGUAGE JOURNEY:

Discover "69 More Norwegian Stories for Intermediate Learners"

Are you on a quest to deepen your mastery of the Norwegian language and enrich your vocabulary even further? Have you surpassed the beginner stages and crave more complex narratives that challenge and delight? If you've nodded in agreement, then the next step in your linguistic adventure awaits!

"69 More Norwegian Short Stories for Intermediate Learners" is meticulously crafted for those who have already laid the groundwork with our beginner's collection and are ready to elevate their skills. This sequel not only broadens your linguistic horizons but also delves into more sophisticated themes and structures, perfectly suited for the intermediate learner eager for growth.

In this continuation of your Norwegian language journey, you will discover:

- A curated selection of engaging stories designed to fit the intermediate Norwegian learner's needs, ensuring a seamless transition to more advanced material.
- Enhanced vocabulary and grammatical structures, presented within compelling narratives that keep learning both effective and enjoyable.
- Cultural nuances and deeper insights into the Norwegian-speaking world, offering a richer understanding of the language's context and usage.
- Practical examples and exercises that reinforce your learning, encouraging active application and retention of new knowledge.

Don't let your language learning momentum fade. With "69 More Short Norwegian Stories for Intermediate Learners," you're not just advancing your Norwegian proficiency; you're immersing yourself in a world of captivating stories that inspire, educate, and entertain. Ready to take the next step in your Norwegian language journey and unlock new levels of fluency? Join us, and let's turn the page together towards intermediate mastery.

Made in United States
Troutdale, OR
10/15/2024

23779098R00268